D0755279

Les Éditions du Boréal
4447, rue Saint-Denis
Montréal (Québec) H2J 2L2
www.editionsboreal.qc.ca

C'est le cœur
qui meurt en dernier

DU MÊME AUTEUR

La Belle Épouvante, roman, Éditions Quinze, 1980 ; Julliard, 1981.

Le Dernier Été des Indiens, roman, Seuil, 1982.

Une belle journée d'avance, roman, Seuil, 1986 ; Boréal, coll. « Boréal compact », 1998.

Le Fou du père, roman, Boréal, 1988 ; coll. « Boréal compact », 2010.

Le Diable en personne, roman, Seuil, 1989 ; Boréal, coll. « Boréal compact », 1999.

Baie de feu, poésie, Écrits des Forges, 1991.

L'Ogre de Grand Remous, roman, Seuil, 1992 ; Boréal, coll. « Boréal compact », 2000.

Sept lacs plus au nord, roman, Seuil, 1993 ; Boréal, coll. « Boréal compact », 2000.

Le Petit Aigle à tête blanche, roman, Seuil, 1994 ; Boréal, coll. « Boréal compact », 2000.

Où vont les sizerins flammés en été ?, histoires, Boréal, 1996.

Le Monde sur le flanc de la truite, notes sur l'art de voir, de lire et d'écrire, Boréal, 1997 ; coll. « Boréal compact », 1999 ; L'Olivier, coll. « Petite Bibliothèque américaine », 1999.

Le Vacarmeur, notes sur l'art de voir, de lire et d'écrire, Boréal, 1999 ; coll. « Boréal compact », 2013.

Des nouvelles d'amis très chers, histoires, Boréal, 1999.

Le Vaste Monde. Scènes d'enfance, nouvelles, Seuil, 1999.

Monsieur Bovary ou Mourir au théâtre, théâtre, Boréal, 2001.

Un jardin entouré de murailles, roman, Boréal, 2002.

Iotékha', carnets, Boréal, 2004 ; coll. « Boréal compact », 2009.

Que vais-je devenir jusqu'à ce que je meure ?, roman, Boréal, 2005 ; Seuil, 2006.

Espèces en voie de disparition, nouvelles, Boréal, 2007,

Un cœur rouge dans la glace, nouvelles, Boréal, 2009.

Le Seul Instant, carnets, Boréal, 2011 ; coll. « Boréal compact », 2013.

Sept oiseaux, mon père et moi, Le Sabord, 2012.

Un jour le vieux hangar sera emporté par la débâcle, roman, Boréal, 2012.

Robert Lalonde

C'est le cœur qui meurt en dernier

récit

Boréal

Dépôt légal : 4e trimestre 2013
Bibliothèque et Archives nationales du Québec

Diffusion au Canada : Dimedia
Diffusion et distribution en Europe : Volumen

Catalogage avant publication de Bibliothèque et Archives nationales du Québec et Bibliothèque et Archives Canada

Lalonde, Robert

C'est le cœur qui meurt en dernier

ISBN 978-2-7646-2288-9

I. Titre.

PS8573.A383C4 2013 C843'.54 C2013-941987-X

PS9573.A383C4 2013

ISBN PAPIER 978-2-7646-2288-9

ISBN PDF 978-2-7646-3288-8

ISBN ePUB 978-2-7646-4288-7

La maisonnée de dix enfants, dans le petit village de Choisy. Je t'y ai conduite, trois ans avant ta prétendue disparition. Tu ne reconnaissais plus rien, tu étais toute chamboulée. Tu détaillais tout sans rien retrouver, trahie par l'ancien sentier devenu un chemin bordé de chalets tout neufs, par la grande maison méconnaissable, traîtreusement modernisée, par les anciens fouets de peupliers devenus de grands arbres, leurs têtes fichées dans les nuages. Tu répétais :

— C'est ici ! Non, c'est par là ! Non, attends ! C'est drôle, tout est changé, et pourtant c'est pareil…

Tu fermais les yeux, rattrapée par des images incertaines, celles de ton commencement, secouée par des élans tout de suite arrêtés, une ancienne joie, un ancien chagrin. L'enfance nous tient et nous échappe : je suis ton fils, donc bien placé pour le savoir. Je scrutais ton visage qui ne voulait rien montrer. Je pensais : « Peut-être n'a-t-elle jamais été cette petite fille dont elle pense se souvenir et qui de loin la nargue… ? » En fait, tu ne te sou-

— Faut pas sonder le fond. On avance comme on peut, on continue, y a rien d'autre à faire.

Mystère encore que cette étrange affaire de surface et de fond. Je n'y comprenais rien, mais déjà devinais que notre chance, le nuage rose, notre échappée belle, avait, comme tu disais, « du sang de navet dans les veines ».

Sur la photographie que j'aime de toi, tu as ces yeux-là, ceux de huit heures du soir sur la galerie, l'album sur tes genoux, et qui me dévisagent avec cette intelligence précise, sûre, de notre position à la fois hors d'atteinte et menacée.

contente que le mauvais œil ne nous ait pas encore trouvés, papa, toi et moi. Nous étions inexplicablement protégés, tous les trois.

— Pourquoi, Maman ?

Tu haussais les épaules, tu ne savais pas, ou ne voulais pas le dire. Cachottière. Invulnérable et cachottière. Ce n'était pas à toi, moins encore à moi, de savoir, de comprendre. Nous étions épargnés, mais notre tour viendrait, il ne fallait surtout pas « tenter le diable ». Tu étais fière de notre bonne fortune, sans cesse menacée, mais chaque jour renouvelée.

— Le danger nous épie, mais de loin. Tu vois le nuage rose, là-bas, au-dessus des pins ?

— Oui.

— Il nous protège. Du moins pour aujourd'hui. Parce que demain...

— Quoi, demain ?

— Le temps peut tourner. Mais, nous autres, on est à l'abri, n'aie crainte !

— À l'abri de quoi ? Protégés de quoi, Maman ?

Ton œil droit clignait, tu fronçais le nez, tournais la tête vers la fenêtre et je ne savais plus s'il fallait te croire. Comment démêler le vrai de l'inventé ? J'étais un enfant, et de plus le tien. Peut-être essayais-tu de me donner le soupçon que la surnaturelle invulnérabilité dont tu parlais n'était pas à toute épreuve, qu'elle nous enfermait tout autant qu'elle nous préservait ?

Il fut un temps où nous avons beaucoup parlé, tous les deux. Bien sûr, tu étais alors mieux embouchée que moi. Tu détaillais tout, les anecdotes acquéraient facilement formes et couleurs, les dates étaient précises – surtout, c'étaient les bonnes. Tu replaçais comme par enchantement tous nos personnages – cousins, cousines, oncles, tantes et même la visite rare – autour de notre table, dans la chaloupe, sous les trois pins de la grande baie. Tu épelais les visages sur les photographies en noir et blanc – un grand-oncle, une vieille cousine, une belle-sœur depuis longtemps disparue. Chacun de ces masques avait une histoire, était proche parent de ton visage, du mien. Tu m'enseignais à voix basse le drame, la malchance, le mystère. L'accident de tel oncle qui conduisait son camion trop vite, le chagrin de telle cousine mariée à dix-sept ans contre son gré, la dérive de telle tante qui n'avait plus toute sa tête et qui avait déboulé le ravin de la commune en tenant serré contre elle son casseau de fraises, « comme pour l'offrir aux anges en arrivant de l'autre bord ». Et tu souriais, en plein drame,

Façon de marquer qu'elle est toujours là, Maman,
à cette place de l'amour et de la détresse.

MICHEL SCHNEIDER

venais pas d'elle, mais de toi, de celle que tu étais toujours, de cette très vieille femme, incrédule d'avoir vécu et de vivre encore, aussi bien dans cette ancienne maison, où tu avais rencontré pour la première fois le monde, que dans notre « cabane », dans l'autre village, où tu avais vécu avec papa et moi durant plus de quarante ans. Quand tu as dû la quitter, cette maison que tu détestais « pour y mettre le feu », tu as demandé qu'on t'y enferme. Tu es restée jusqu'au soir entre les murs de « la maudite baraque », caressant amoureusement les murs, les meubles, les tentures, que tu avais pourtant abominés. Tu en es ressortie les joues ruisselantes de larmes, pour déclarer haut et fort :

— À présent, c'est fini. Pis reparle-moi pus jamais de c'te maudite prison là !

J'avais voulu aller frapper à la porte, entrer chez ces gens qui habitaient sans le savoir ta maison d'enfance. Je voulais te forcer à débusquer puis à me montrer les preuves que tu avais bel et bien existé entre ces murs-là, il y avait plus de soixante-dix ans. Mais tu as crié :

— Non ! Fais surtout pas ça ! Des plans pour qu'y fassent venir la police ! Une autre fois, peut-être.

Autant dire jamais. Tu as plongé ton visage dans tes mains, mais trop tard : j'avais eu le temps d'apercevoir ta grimace. D'effroi ? de détresse ? de soulagement ? Comment savoir ? Peut-être inventais-tu tout, le village, le petit chemin – très beau, ses saules pleurant sur une haie de sureaux –, la vieille maison si mal rajeunie et tout le reste. Depuis toujours, pourtant, comme disait papa, « tu te souvenais à ta guise », sans jamais hésiter, te tromper. Tu n'étais pas – « Jamais, au grand jamais ! » – comme ta sœur Rita, qui jouait les amnésiques, « la perdue, la folle ». Tu savais tous nos gestes, tous nos mots par cœur, n'oubliais aucune de nos allées et venues, enseignais aux vivants comme aux morts leur propre histoire. Il fallait donc te croire sur parole quand, caressant du bout des doigts la vieille photographie embrouillée, tu disais :

— C'est en dessous de ce sapin-là qu'Annette s'est foulé la cheville ! C'est au pied de cet escalier-là que ton grand-père a eu un malaise, pis c'est dans c'te fenêtre-là – mais y avait pas de moustiquaire – que ton oncle Roger a crié : « J'vas appeler le D[r] McPherson, drette là ! » Pis c'est par ce chemin-là qu'y est arrivé, le vieux docteur, dans sa Buick bleu ciel, pis qu'en débarquant du char y a dit : « Ça doit être le cœur. » C'est comme si c'était hier !

Dans l'auto, sur le chemin du retour, après t'être tue obstinément, les yeux fermés, la main sur ton front – « Ta mère pense, ti-gars, on rit pus ! », disait papa –, tu m'as confié, à voix presque éteinte :

— Peut-être que ça s'est pas vraiment passé ici, comme je t'ai dit. Je le sais pus. C'est si loin. Maintenant, ramène-moi au mouroir pis qu'on n'en parle plus.

Tu es descendue devant la villa, je t'ai embrassée, comme chaque fois, « deux becs sur la joue gauche, trois sur la joue droite », et tu es rentrée sagement, comme la petite fille d'autrefois, celle qui « faisait toujours bien comme y faut ce qu'on attendait d'elle ». C'était fini. Tu ne dirais plus rien. Il n'y avait plus rien à dire, un point c'est tout. Dorénavant, tu « ferais ton temps » dans cet ancien hôtel pour parvenus qu'on avait affublé d'un nom de palace sous les tropiques, la Villa Soleil.

Dix enfants, sept filles, trois garçons. Dans l'ordre – tu m'as si souvent récité cette chère liste là, primordiale –, Roger, Annette, toi, « la troisième », Romain, Rita, Désiré, Jeanne, Viviane, Yolande et enfin Délima, la toute dernière, qui se fera bonne sœur, à dix-sept ans. Pas besoin de compter sur tes doigts : l'énumération était gravée je ne sais où au fond de toi – on aurait dit une longue mélopée, de celles, encore une fois, qui protègent du mauvais sort et que tu débitais, les yeux fermés, les mains croisées sur le cœur. Les prénoms de tes frères, de tes sœurs, enguirlandés au tien. L'ordre comptait, la place de l'un, de l'une par rapport à l'autre, son rang d'arrivée dans l'existence, celui-là et pas un autre. Je voyais bien, au blanc de tes yeux montés au plafond, j'entendais bien, dans ta voix dévotement chantante, que cette façon qu'avait eue la Providence de vous faire apparaître un à un dans le réel était de toute première importance. Je te demandais souvent de me la réciter, cette nomenclature exemplaire, et tu ne te faisais pas prier.

— Roger, Annette, moi, Romain, Rita, Désiré…

Tu t'arrêtais, comme épuisée, puis reprenais ton souffle. Une fois la liste complétée, un silence plein de mystère s'installait. Tu te levais de ta chaise, gagnais l'évier ou le bord de la fenêtre et tu répétais, seule, à voix inaudible, l'épellation où, bien sûr, je n'avais pas ma place. Pas encore.

Un après-midi, à la Villa. Pour la première fois, tu étais embrouillée. La fin se faisait sentir. Tu emmêlais les années, les mois, les heures, les visages et les paroles. Tu m'as demandé :

— Quand est-ce que t'es sorti de l'hôpital ?

Je t'ai regardée et t'ai souri bêtement. Je n'avais été admis dans aucun hôpital, sauf à l'âge de treize ans, pour me faire arracher les amygdales.

— Pis pourquoi tu t'es changé ?

— Je me suis changé parce qu'il s'est passé six jours depuis ma dernière visite, Maman.

Tu as fermé les yeux et tu as marmonné :

— Je sais que j'en perds des morceaux ! Pense pas que je m'en rends pas compte !

Puis tu es tombée endormie. Au bout de quelques minutes, tu t'es redressée dans ton lit et tu as crié :

— C'est pas drôle d'avoir vingt ans !

J'ai pouffé de rire et alors tu t'es mise à hurler :

— Arrête, pour l'amour ! Tu sais pas ce que c'est, toi, d'avoir vingt ans !

J'ai répondu, sans doute un peu trop vite :

— D'habitude, la fatigue te porte à te vieillir, pas à te rajeunir ! T'as quatre-vingt-douze ans, Maman !

— Va-t'en donc, toi !

Et tu as éclaté de rire – un rire extraordinairement jeune, « un rire de pouliche indomptable », disait papa. Un jour, quelque trente ans plus tôt, découragée par l'éternel recommencement du barda – tu te traînais dans la cuisine, fantôme dépris de tout sortilège –, tu t'étais écriée, la fourchette à rosbif levée haut :

— Aujourd'hui, j'ai quatre-vingt-dix ans ! C'est-y pas épouvantable !

Ce soir-là, avant de te quitter, j'ai tourné ton fauteuil vers la fenêtre. Brusquement tu t'es réveillée. J'ai marmonné :

— C'est plus beau ici, non ? La clarté…

— Quelle clarté ? Y fait toujours noir !

Tu m'as dévisagé si méchamment que j'en ai eu le souffle coupé. Puis ta tête est tombée. Et je suis sorti de ta « petite chambre de presque morte », sur la pointe des pieds, comme le voleur que j'étais.

Tu aimais aussi cette photographie, ma préférée, celle où l'on te voit, à vingt-cinq ans, en tailleur chic, talons hauts, coiffure à la Joan Crawford, tenant dans tes bras un petit épagneul noir comme la nuit. Tu étais alors servante chez les Duval, en ville, des gens très riches, qui t'aimaient bien, te passaient gaffes et caprices, toléraient le bris d'une théière – « J'ai recollé les morceaux avec ma chique de gomme! » –, te trouvaient élégante, de bonne compagnie, toujours gaie « comme un pinson ». Et, en effet, sur la photo tu sembles heureuse, endimanchée et fière, faisant la promotion de ta nouvelle vie, promenant avec désinvolture le chien des maîtres dans le jardin des maîtres. Tu souris en montrant tes nouvelles dents, récemment acquises. À vingt-quatre ans, tu avais demandé qu'on arrache toutes tes dents et te pose une prothèse : rangées égales, blanches, éclatantes, un sourire de vedette qui t'allait, disaient les maîtres, à merveille. Tu commences à vivre, enfin, cela se sent : ta beauté, ton indépendance, un temps nouveau t'est promis.

Quand et comment as-tu quitté le village de

tendais le cou et te mettais à raconter comme c'était beau d'avoir vingt ans et de n'être plus, de n'être pas redevenue encore, « une esclave à hue et à dia ». Tu retournais, me tirant par la main, dans un vieux bonheur en noir et blanc qui ne semblait pas passé, mais sur le point de survenir.

Tu avais quitté le clan, l'hôtel, ta petite vie. Tu n'étais pas mariée encore. Papa rôdait autour de toi, mais tu le faisais languir. Tu disais, le sourire en coin :

— Le mariage pouvait ben attendre, Seigneur ! J'avais encore de belles années devant moi !

Tu étais chez les Duval, en ville, servante, libre.

Ce desserrement de ton piège, cette nonchalance confiante, ce flirt nouveau avec la vie, ce déhanchement de star qu'on dirait provoqué par l'air de Bing Crosby que tu aimais tant – « *I Got the Sun in the Morning…* » –, tout ça se voit comme la lune de juin au milieu du ciel, en plein après-midi, sur ma photo préférée.

Choisy, la grande maison sous les saules, tes neuf frères et sœurs, le couvent, ton piano, la musique, si passionnément aimée, puis brusquement lâchée ? Mystère, sur lequel tu n'es jamais revenue. Peut-être la famille avait-elle déjà traversé le lac, s'était-elle déjà installée dans l'autre grande maison, à Oka, et que j'ai bien connue, tous les enfants besognant dans cet hôtel acheté par Léopold, ton père. « Le coin », un bâtiment de bois rond, aujourd'hui brûlé, où tu as appris le métier de servante, circulant entre les tables remplies de verres, de bouteilles, de gros bocks de gin, de rye, de whisky blanc, souriant avec tes anciennes dents – « une vraie sorcière ! » –, repoussant les mains lestes des clients, vidant et remplissant ton plateau « sans lambiner », t'efforçant de démêler les mots sales des compliments. Assez vite vint le moment où tu ne supportas plus cette « vie de torcheuse, de ramasseuse, de claqueuse de mains fouineuses » et tu obtins – tu ne m'as jamais expliqué comment – cette place, en ville, chez les Duval, où tu as abandonné un si beau souvenir que ces gens-là t'ont rendu visite quasiment tous les étés, « jusqu'à ce qu'y lèvent les pattes ».

Tu m'appelais au salon, me faisais une place sur le sofa à côté de toi, ouvrais la boîte à chaussures et, tout de suite, c'est la photo de la dame au petit chien que tu dénichais. Tu la posais sur la table, enfouissais la boîte sous le sofa, croisais les jambes,

« Fatale ! » te lançait papa, les yeux au plafond, les mains dramatiquement croisées sur sa poitrine, d'une voix qui n'était pas tendre mais me faisait rire aux larmes. Je ne connaissais pas ce mot-là. J'entendais : farouche, seule de son espèce, reine tombée de son trône. Et je voyais la souveraine espagnole du dictionnaire, la tête encerclée de poignards, les yeux furieux. Ou encore sainte Ursule, la suppliciée, les bras au ciel, le visage ruisselant de pleurs. Mais papa, sur son élan, précisait :

— Ta mère est une majesté servante, ou une servante royale, arrange ça comme tu voudras !

Et il sortait, sans claquer la porte. Il déguerpissait, pour une heure, pour la soirée, peut-être pour toujours. Je le voyais piquer à travers le champ de tabac, gagner le bord de l'eau, appelé par le soir couchant, qu'à mesure je savais qu'il allait défaire, recomposer : il était pour ainsi dire déjà devant le canevas grimpé sur trois caisses d'oranges, dans le hangar, à barbouiller le blanc de feu et d'azur, les bras maculés de couleurs jusqu'aux coudes. Il s'en tirait comme ça, lui, et je lui en voulais de nous laisser seuls, tous les deux, dans la brunante.

Tu me décochais une œillade éplorée et marchais en somnambule jusqu'à votre chambre, où tu t'enfermais. Votre chambre, si mystérieuse pour moi, avec ses meubles anciens, en bois sombre, sa vanité à froufrous, ses lourds rideaux perpétuellement fermés. Il y régnait cette inquiétante pénombre de grotte que me laissaient soupçonner les livres de contes que je déchiffrais, sous mon drap, la nuit, à la lueur de ma lampe de poche – « Tu vas t'arracher les yeux ! Éteins pis dors ! » Je m'approchais de la porte de la chambre, que tu avais laissée entrouverte. Assise devant le grand miroir, tu prenais des poses, remontais le collet de ta blouse comme ci, puis comme ça, puis autrement encore. Tu te levais lentement, faisais valser comme ci, puis comme ça le volant de ta jupe, qui caressait soyeusement tes mollets si parfaitement galbés – papa disait : « Ta mère a un gras de jambe de star ! » De toute évidence, tu te préparais pour une grande fête, une célébration en ton honneur, où les enfants n'avaient pas d'affaire. Et tu te mettais à chantonner, sans quitter des yeux l'autre femme, si belle, dans le miroir :

— *Une demoiselle sur une balançoire*
se balançait dans le vent du soir...

Je revenais à reculons dans le salon, me laissais tomber dans le vieux fauteuil berçant de papa. Ta chanson m'endormait doucement. La nuit venait. Puis la porte couinait et papa était debout devant moi, les poings sur les hanches. Il sifflait tranquillement le même air que toi. Ça allait recommencer, les rudes caresses, ses grandes mains sur moi. Lui voulait, pouvait. Toi, tu ne pouvais pas, ne voulais pas. C'était comme ça.

À l'âge de quinze ans, une pleurésie avait failli t'emporter. Depuis, tu ne cessais de répéter :

— C'est comme ça que j'vas partir. L'eau va revenir. Je sais que ça va finir comme ça.

Et, en effet, l'eau qui allait te noyer était revenue dans tes poumons.

L'eau, dont tu avais toujours eu si peur. Tu te souviens ? À peine assise dans la chaloupe, tu pâlissais, te cramponnais farouchement à ton banc, prête à endurer ton martyre, yeux fermés, lèvres serrées. Et au chalet de Roger, à Ripon ? Il y avait tout de suite vingt pieds d'eau au bout du quai. J'ai plongé et tu t'es mise à crier :

— Sors de là tout de suite ! Tu vas te noyer !

Déjà au large, j'ai crié, à mon tour :

— Mais je sais nager, Maman !

Tu t'es déchaînée. Roger t'a tirée, entraînée dans la véranda, où tu t'es évanouie sur une chaise longue. Je suis sorti de l'eau. Je te pensais morte à cause de moi. Roger est venu à ma rencontre, sur le quai, et il a dit :

— Ta mère est folle ! Un vrai paquet de nerfs !

Vois-tu, elle était pas faite pour avoir des enfants, la pauvre !

Et j'ai entendu une voix nouvelle, inconnue, articuler au fond de moi : « Je le savais. »

— J'espère pour toi que t'as pas hérité d'elle c'te maudite maladie là ! Les nerfs !

Mais c'était trop tard. Nos positions de combat, nos avancées, nos retraites, nos réattaques hurlantes, nos capitulations abasourdies sur la galerie, nos empoignades de nouveau dans la cuisine, trop petite pour nos simagrées d'enragés, ces cent manières que nous avions de nous affronter, de nous battre, de nous rendre, d'abdiquer momentanément et de recommencer presque aussitôt, prouvaient que j'avais bel et bien hérité de toi la maladie de nerfs en question. Tu disais :

— Ça devrait pas se passer comme ça ! Y me semble qu'ailleurs, dans d'autres maisons, ça se passe autrement, ça se passe mieux que ça ! Tu penses pas ?

Je relis ces mots de Virginia Woolf, qui me font encore et toujours penser à toi : *Cette étrange impression d'impersonnalité ensoleillée.* À certaines heures, oui, fatiguée mais délestée du barda, tu rayonnais, tu chantonnais à côté de moi, sur la galerie, presque heureuse, soulagée de nous et surtout de toi-même. Tu redevenais la dame au petit chien : il n'était rien arrivé, n'arriverait plus jamais rien qui puisse t'ôter cette tranquillité inespérée.

— *Donnez-moi des roses, mademoiselle,*
car j'ai rendez-vous, c'est très important...

Un soir, peu avant de partir, tu m'as demandé :

— On va où, après ?

J'ai haussé les épaules et j'ai dit :

— Sans doute nulle part. On reste là où on était, on continue, simplement, comme ceux qui restent.

— C'est triste !

Mais tu n'étais pas triste. Ce n'était pas de la tristesse, cette tranquille abdication, la tienne, la mienne, ce raisonnement spontané au bord du vide. Mon cœur s'est serré alors d'une joie déraisonnable et je t'ai regardée t'endormir, décamper vers un ailleurs qui peut-être enfin te surprendrait, où jouerait ta musique, où brûlerait le soleil de la dame au petit chien, où tu serais délivrée de nous, de moi, du grand souci de ma vie, qui selon toi n'allait nulle part.

Brusquement tu t'es réveillée et tu m'as dévisagé comme si tu ne m'avais encore jamais vu de ta vie.

— J'ai été qui, j'ai été quoi, peux-tu me le dire ?

Tu ne me posais pas à moi – à tout le moins pas à moi seulement – cette grande question là.

— Pense pas à ça, Maman. Regarde, y a des pêches sur la table, de l'ombre sous le grand pin, une douceur extraordinaire dans l'air. Et tu vois l'ange, au creux du nuage, là-bas ?

Mais tu t'étais rendormie. J'ai rêvé, tout seul, à ton côté. J'aurais voulu rester longtemps comme ça, entre jour et nuit, dans ce merveilleux instant accroché à rien ni à personne, pas même à toi.

Quelques semaines avant que l'eau ne reflue, j'étais monté à ta chambre, à la Villa, ayant oublié dans la voiture la bouteille de coca-cola que tu m'avais réclamée (la boisson en question étant interdite à la Villa). Je suis descendu la chercher, et quand je suis remonté, le médecin m'a attrapé le poignet, dans l'escalier :

— Je lui ai fait une piqûre de cortisone. Sa hanche la fait souffrir. Il se peut qu'elle soit égarée pendant un court moment.

J'ai lâché un petit rire fou. Égarée, toi qui connaissais et reconnaissais tout, toi que le moindre doute énervait à t'enfermer dans ta chambre jusqu'à ce que te revienne le nom de notre ancienne voisine, la couleur du ciel le jour de la première communion de Jean-Pierre, ton neveu, de Nicole, ta nièce, la teinte exacte du ruban de chapeau de ta tante Valentine, le jour de Pâques juste avant sa mort, l'air affligé de ta belle-sœur Aurélie, au mariage de ton cousin Conrad ?

Mais tu étais bel et bien égarée. Ouvrant sur moi et sur la bouteille dans ma main deux grands yeux furibonds, tu t'es mise à m'abîmer de bêtises :

— Veux-tu ben me dire où t'étais ? Tu disparais, tu me laisses toute seule avec des vieilles folles, des vieux sans allure ! Pis ton fils qui est caché queque part ici-dedans, le yâble sait où, tu penses pas qu'y serait temps de lui demander pardon ?

Une furie, une sorcière sortie en coup de vent de la tente tremblante ! Juste comme j'allais rebrousser chemin, tu as fermé les yeux, ton visage s'est aussitôt défroissé – on aurait dit la face lisse de la statuette de la Vierge qui trônait sur notre vieille télévision, au fond de la chambre, et que tu n'allumais jamais –, et tu as crié :

— Grouille ! Que c'est que t'attends ? Vite, viens me frotter le dos !

Tu ne m'avais jamais touché, ne m'avais jamais laissé te toucher. Quel était au juste le liquide magique que t'avait administré le bon docteur ? Je me suis exécuté, persuadé de me mouvoir dans le songe que je faisais à répétition et qui me volait encore la moitié de mes nuits. Tu t'es laissé faire. Tu ronronnais, tandis que je pétrissais précautionneusement les muscles de tes épaules, de ta nuque, noueux comme des câbles à bateau.

— Ah, mon mari, tu peux pas savoir comme j'avais besoin de ces bonnes grandes mains là !

Ce n'était donc pas moi, mais papa qui était revenu. Et c'est à lui que tu t'es mise à déclarer ton soulagement, ton bien-être tout neuf, inespéré. Tu avais pris la voix d'une très jeune femme qu'on s'apprête à combler, après trop d'années d'un retard effrayant. J'étais bouleversé, oscillant entre frousse et contentement : j'étais mort depuis plus de vingt ans et pourtant vivais toujours, malaxant ta nuque, tentant d'imiter la poigne tendre du disparu jamais disparu. Et c'est à lui, à moi devenu lui, que tu as confié ton chagrin, ta honte, le malheur que j'avais, qu'il avait introduit dans la maison, comme on ouvre la porte au loup. Tu me suppliais de lui, de me faire des excuses. Tu me, tu le menaçais de fermer à clé la porte de votre chambre.

— Finis les caresses, les cajoleries, les grincements du sommier, les beaux flattages, les becs mouillés, les collages, pendant que le petit a le dos tourné ! Si tu lui demandes pas pardon, pis à genoux s'il vous plaît, je déménage chez Annette, pis tu me reverras pas de sitôt !

Ta main a attrapé la sienne, la mienne, sur ton cou, l'a serrée très fort. Puis ta tête a plongé en avant. Tu avais perdu connaissance.

Je me suis laissé tomber sur une chaise, plus mort que vif. Je ne pensais à rien, ne voyais plus rien, ne ressentais plus rien qu'un grand soulagement triste et qui venait bien tard.

Puis tu es revenue à toi. Je t'ai versé l'ambroisie pétillante et sucrée dans un verre et tu l'as avalée d'une traite, le regard extasié – ton œillade de coyote lapant le sang. Puis tu as levé la tête vers moi :

— Pourquoi tu me regardes comme ça ? Si on dirait pas que t'as devant toi le yâble en personne !

Et tu as éclaté de rire.

Tu avais donc toujours su, pour papa et moi. Et tu n'avais rien dit. Il avait fallu la chimie équivoque du médicament dans ton sang, ta cervelle, ton cœur, tes nerfs. Il avait suffi qu'il réapparaisse, ou plutôt que je réapparaisse, habillé de son souvenir.

Tu ne me reconnaissais plus. Tu disais :

— Je sais pas qui t'es.

Cette fois, ce n'était pas ta mémoire qui flanchait. Une peur étonnée te venait, qui avait à voir avec toutes ces années où j'avais vécu ailleurs, « au loin », et pendant lesquelles – tu revenais souvent là-dessus – je m'étais donné « bien de la misère pour rien ». Mon éloignement confinait à l'exil. Distancé de toi, je m'étais perdu, avais affronté des dangers bien au-delà de ma pauvre force, avais connu de bien mauvais garçons, des filles « avec le yâble au corps », traversé des contrées où, au coin de chaque rue, derrière chaque tronc d'arbre, m'attendaient des malfaisants capables de transpercer, aussi bien d'une caresse que d'un coup de couteau, ce cœur faible que tu connaissais trop bien, puisqu'il battait ton sang.

Tu te souviens ? Quand l'un ou l'autre de ces étrangers « aux yeux de loup » – l'une ou l'autre de ces inconnues « au sourire menteur » – apparaissait derrière moi, dans la cuisine, tu me dévisageais sans pitié : enfin je te donnais la preuve de mon étourderie, de mon inconséquence, de ma folie. Tu tournais le dos à « la traînée », à l'imbécile indésirable et qui faisait de trop grands gestes dans la petite pièce, menaçant de décrocher le rideau de la fenêtre, de renverser le pot de fleurs sur la table. S'il s'agissait d'une fille, tu entreprenais vite de la prévenir contre mes insuffisances, mes facéties, mes « engouements de fend-le-vent », mes « imprudences de saute-ruisseau ». Je tentais en vain de t'arrêter, mais tu étais lancée : il fallait coûte que coûte que cette « pauvre greluche », honteusement séduite par moi – généralement pas même une amie, encore moins une amoureuse, mais une copine venue faire ses devoirs avec moi –, apprenne de ta bouche quel imprévoyant, quel ratoureux, quel imprévisible malavisé j'étais. Avec les gars, tu n'étais pas plus indulgente : tu leur jetais des œillades assassines qui leur faisaient prendre leurs jambes à leur cou. Une fois seule avec moi – « Enfin ! » –, tu te laissais choir dans ta chaise berçante où tu te mettais à te balancer furieusement, affichant l'œil pâle et dérangé de celle qui sait et n'en démordra pas. Je sortais en claquant la porte.

La fois suivante, quand osait réapparaître le gars timoré, « les oreilles couchées », la fille « pas si guedaille que ça, bien mise, souliers bon marché mais élégants, pas un poil dépassant de sa queue de cheval », tu étais tout sourire, toute grâce, multipliant compliments et politesses à leur donner le tournis. Même le grand sapin dans la fenêtre paraissait ahuri, les branches molles, brusquement découragé par le revers de ta médaille. Pour ne rien dire de ton grand dadais de fils, qui s'était en vain préparé aux couteaux tirés, à glisser dans la mare de sang répandu sur le prélart de la cuisine.

Tu étais vestale et pythie, fée du logis et gardienne de prison. Mes amis, qui ne savaient pas, s'entichaient vite de toi, sans s'apercevoir du vilain tour que tu leur jouais, heureux de s'être mépris sur ton compte, éberlués par tes racontars si détaillés, si drôles, si « croustillants ». Maintenant qu'ils étaient apprivoisés, « à ta main », les drames se faisaient comédies, les nôtres, ceux des autres, des parents, des voisins, les catastrophes se métamorphosaient en malentendus loufoques, en péripéties de ces romans-photos que tu chérissais tant. Tu faisais de grands gestes de théâtre, si peu conformes à ta fixité éplorée avec moi, montais et baissais subtilement le ton, selon qu'il s'agissait d'une cruauté du sort ou de l'ineptie de tel « pauvre diable ruiné par les caprices de sa folle de femme », de telle « sans génie menée en bateau par le premier beau parleur venu ». Tu rendais désopilants les fléaux et les calamités qui, seule à seul avec moi, te tiraient les larmes, te faisaient gémir et te tordre les mains – « comme une Madame Butterfly », disait papa.

M'apercevais-tu seulement, alors, recroquevillé sur ma chaise, tout au fond de la cuisine, près de l'évier, ouvrant sur la conteuse emportée que tu étais subitement devenue deux grands yeux de témoin halluciné ?

— À t'entendre, si on dirait pas que j'ai droit rien qu'à ma sueur pis à mes larmes ! Tu sauras que l'imagination, c'est pas fait juste pour la folle d'à côté, ou ben pour le curé, qui ouvre grand la porte de l'enfer, un dimanche sur deux, comme si de rien n'était !

Je t'entends encore m'apostropher, m'attraper dans le détour :

— Robert, dors-tu ? Si tu dors, va te coucher !

— Va chez Gérard m'acheter d'*huile* !

— Mon linge est *chesse,* viens m'aider à le décrocher !

— Va te coucher, y a pus d'argent à faire !

— Veux-tu ben rentrer, y mouille à *scieaux* !

— Écoute l'oiseau qui chante : « Cache ton cul, Frédéric, Frédéric, Frédéric » !

— Tu vas pas aller te baigner, mouiller ton costume de bain qui prend deux jours à *chesser,* y est trois heures de l'après-midi, la journée est finie !

— Ferme la porte, je chauffe pas pour dehors !

— Va aider M. Dumoulin, y est trois pieds d'eau par-dessus la tête dans sa cave !

— Si ton oncle Roger te répète encore que je mène pus grand train, dis-y que c'est parce que j'me suis acheté des bottines de feutre !

— T'as été nommé *thuréféraire* à l'église, tu

dis ? Que c'est que ça mange en hiver, ça, un *thuréféraire* ?

— Si le curé te demande comment ça se fait qu'on te voit pas plus souvent à l'église, réponds-y : « Vous pouvez pas me voir, j'y vas pus ! » Pis sauve-toi en courant, si tu veux pas recevoir sa main dans face !

— Irais-tu à l'épicerie, j'ai le cœur en dessous du bras !

— Hormis un miracle, t'aimeras pas ce que je t'ai cuisiné à midi !

— Comprends-tu ça, toi ? J'ai du chagrin que le chien soit mort, pis je l'haïssais pour m'en confesser !

— Où j'ai mis ton *windbreaker* ? Fouille-moi ! Si tu t'accrochais aussi !

— Reste pas dans porte, déshabille-toi !

— Ta chambre est une vraie soue à cochons, pis je te dis qu'a sent pas le pin de nos bois !

— Quand tu penses que tu l'as, tu l'as pas ! Le bon Dieu donne pas, y fait juste prêter !

— Sainte Catherine de l'Enfant-Jésus qu'y fait chaud ! Si y peuvent reprendre les écoles !

Ton langage, ta langue, ton jargon, tes locutions lapidaires, ton sabir vernaculaire, ton lexique allégorique, les mots qui venaient avec leur musique, leur sens clair comme de l'eau de roche, les sous-entendus affleurant comme la crème sur le lait, ta grammaire déraillée, mais si aisément déchiffrable !

Ton parler me manque. À coup sûr, tu m'as légué la parole qui surestime le réel, le dramatise, à l'aide de beaux mensonges signifiants. Tu m'as légué l'exagération qui fait voir.

Tu étais, pour le clan, quasiment pour tout le village, la grande interprète des maladies, malaises bénins comme maladies mortelles. Tu tirais les cartes, lisais l'avenir au fond de ta tasse de thé, allumais une chandelle sous la photo d'une tante souffrante, que tu juchais sur l'étagère, entre le pot de sucre et la boîte de café, tombais à genoux à tout moment sous l'effigie, marmonnant entre tes dents. Tu glissais subrepticement une noix de muscade dans la poche du coupe-vent de papa (contre les hémorroïdes), invoquais saint Antoine de Padoue si j'égarais une mitaine, me forçais à trancher au couteau à pain une verrue sur mon pouce et à courir l'enterrer, « dans la minute », au pied du grand orme de la cour. Assise à ta place, au bout de la table, tu étudiais l'éparpillement des miettes de pain sur la nappe, devant moi, persuadée d'ainsi parvenir à tirer au clair ce qui depuis quelques jours me passait sournoisement par la tête et me donnait des rougeurs inquiétantes. Si le téléphone sonnait, au milieu de la nuit, tu te dressais dans ton lit comme une zombie et déclarais, non pas à papa qui ronflait à ton côté, mais au miroir de ta vanité reflétant ta face pâle de voyante :

— Marie-Ange est morte !

Papa se levait, allait décrocher, disait : « Oui, oui, c'est correct ! » C'était le livreur d'huile à chauffage – le bonhomme était un peu fêlé du chaudron – qui s'annonçait. Mais tu n'en démordais pas : Marie-Ange, pour sûr, agonisait. Au matin, tu te parais comme pour aller à la messe et filais, sans même avaler un bout de pain, chez la moribonde. Papa branlait la tête et disait :

— Même si ta mère revient bredouille, tu peux être sûr que Marie-Ange va lever les pattes dans la semaine. Pas de maladie, pas même de sa belle mort, mais d'épouvante !

Si la mourante survivait, tu haussais les épaules, fermais pieusement les yeux et t'en allais dans quelque vision funéraire qui ne perdait rien pour attendre. Si une simple amygdalite me forçait à prendre le sofa, tu ne me soignais pas tant que tu veillais le mort en sursis que j'étais devenu, emmailloté dans l'édredon comme le défunt dans son suaire. Je n'émergeais de mon cocon que pour apercevoir ton masque tragique de sainte protectrice – et c'était assez pour deviner, à mon tour, ma fin toute proche.

Que de fois je t'ai surprise, assise avec tes sœurs, sur la véranda, chez grand-père Léopold, au beau milieu d'une partie de canasta. Yolande, Viviane, Rita et Jeanne s'éventaient vigoureusement de leurs cartes, ouvrant sur toi de grands yeux peureux, pressentant l'imminence de la prophétie de malheur. Et ça ne manquait jamais.

— Désiré va encore essayer de se tuer.

— Voyons donc ! Où c'est que tu vas chercher des affaires de même ?

— Vous saurez me le dire !

— Ça tient pas deboutte !

— Ah non ? Pas plus tard qu'hier, y a parlé du gros câble à bateau.

— Quel câble à bateau ?

— Un câble à bateau, pour l'amour, vous savez toutes c'que ça veut dire !

— Ben, pas moi !

— Ni moi !

— Ça veut dire qu'y va encore essayer de se pendre !

— Es-tu folle, toi ! Désiré parlait sûrement du câble ben ordinaire qu'y traîne toujours avec lui pour se sortir du fossé !

— Ah oui ? Ben coudonc !

Jeanne lançait sur la table un roi de trèfle, d'une main molle de peur.

Chacune « fournissait », dans un grand silence de chapelle ardente. Un petit vent de frousse soufflait encore un moment. Puis c'était passé : vous recommenciez à jaser, à médire, à vous conter vos petites affaires, à rire comme des poules tiraillées par le coq.

Mais, avec moi, ça ne s'arrêtait pas là.

— Germaine l'a décroché déjà deux fois de la grosse poutre du hangar, la langue sortie, de la couleur de mon bleu à lessive. Tu me crois pas ?

— Je sais pas.

— Tu le sais, puisque j'te le dis !

— Peut-être.

— Va donc y demander !

Je n'allais tout de même pas courir interroger le kamikaze, que j'avais aperçu le matin même, au volant de son taxi, et qui m'avait salué comme d'habitude, en faisant voler sa casquette.

La mort avait rôdé. Elle nous avait sans cesse à l'œil. Et toi, tu le savais et l'annonçais à qui de droit. On aurait dit que tes prophéties de malheur te tranquillisaient, tempéraient la peur lancinante qui te tenait, cet effarouchement devant les choses qui n'allaient nulle part et ne voulaient rien dire. Enfin, subitement, le sort se manifestait, le mal avait un sens. Le malheur, embusqué, toujours prêt à vous attraper un bras, un mollet, la nuque, le cœur, à vous arracher un œil de son orbite, sortait enfin de son trou. Tu avais eu raison, encore une fois, toi qui attendais la malchance avec l'impatience de la bête espérant malgré elle son dompteur.

Et, aujourd'hui encore, à ma honte et à mon

grand dam, j'entrevois plus fréquemment qu'à mon tour sinon ma fin, du moins mon délabrement. Une bosse à l'aisselle, une rougeur suspecte sur le bas-ventre, une chaleur soudaine, ressemblant au commencement d'une très improbable malaria, une corneille traversant le pare-brise de ma voiture de droite à gauche, une crevasse du trottoir sur laquelle, distrait par le pas traîtreusement immatériel de la faucheuse à mes trousses, je pose le pied, un coup de téléphone à l'heure indue, l'apparition tordue d'un câble dans mon rêve, accroché tout là-haut, je ne sais trop comment ni par qui, me procurent une terreur extraordinairement proche d'un coup de couteau dans les côtes. Alors je me secoue, revoyant papa qui, dénichant la noix de muscade au fond de sa poche et la lançant de toute sa force au bout du champ de tabac, criait à tue-tête :

— Tiens, v'là ce que j'en fais de ton remède miraculeux !

Mais aussi, il me faut bien l'admettre, un trèfle à quatre feuilles, longtemps cherché à quatre pattes dans l'herbe et enfin trouvé, la même corneille traversant le pare-brise, cette fois de gauche à droite, l'atterrissage en douceur de la libellule sur ma main, le déploiement soudain de l'arc-en-ciel après l'orage, au-dessus des pins, la clé perdue, retrouvée sous une pile de pages, jusqu'alors jugées ineptes et qui peut-être ne sont pas si mauvaises, le convoi funéraire qui me double sur la route ensoleillée : un rien, un de ces riens dont tu m'as si bien enseigné le pouvoir secret, suffit souvent à me rendre ignorant du grand danger qu'il y a à continuer mon chemin.

Toi qui avais été servante, tu te plaignais, surtout les lundis, jours de frottage, de lavage, d'étendage, de ne pas en avoir une, de servante. Ces matins-là, tu ne retirais pas tes bigoudis, ces rouleaux de plastique rose autour desquels, beau temps, mauvais temps, tu enroulais tes mèches rebelles – « J'*aguis* ma crinière de jument pour tuer ! » – que tu coiffais ensuite d'un foulard à fleurs délavées, « mûr à voir au travers ». Tu retroussais les manches de ta blouse, soupirant et maudissant le barda toujours à recommencer. C'était jour de pénitence dans la cuisine. Il ne fallait surtout pas se mettre dans tes pattes.

— Ôtez-vous de mon chemin, pour l'amour, sinon j'en viendrai jamais à boutte !

Perché sur la marche la plus haute de l'escalier, je te regardais brasser, tordre, essorer nos atours, « ces vieilles guenilles bonnes à donner aux pauvres ». Le vieux moulin gémissait. Tu le claquais, le frappais à grands coups de poings, malmenais les rouleaux de l'essoreuse à les décrocher de leurs gonds. On aurait dit je ne sais quelle déesse déchue, injustement condamnée à dompter, au prix de son immortalité, la machine infernale. Je voyais tomber goutte à goutte la sueur de ton visage dans le maelström de la cuve. Les vociférations du moteur surmené ne parvenaient pas à couvrir tes grognements furieux, tes ricanements enragés.

— Que c'est que j'ai fait au bon Dieu, moi, pour me retrouver torcheuse, épousseteuse, décrotteuse! Même la femme du videur de puisards a une bonne, sainte misère à poil!

Alors je revoyais la photographie: ton port orgueilleux, ton torse si élégamment cintré dans le tailleur chic, ta silhouette élancée, juchée sur les hauts talons, ta main de fée caressant le petit épagneul noir de tes maîtres. Et je me demandais bien, moi aussi, comment et pourquoi on t'avait déchue de ta noblesse, privée de ta dignité royale, de ta jeunesse ensoleillée. T'abandonnant lâchement à ton labeur d'esclave, je me faufilais dans ta chambre, tirais le rideau de la penderie. Le cœur au fond du ventre, j'admirais les trois robes de soie – la rouge, la verte, la jaune –, les quatre paires de chaussures à talons hauts – deux blanches, une noire et une bleu ciel –, l'étole grise de mouton de Perse, les quatre jupons de satin – deux blanc de neige, un rose, un crème: ton ancienne mise de diva. Je t'écoutais rager, t'en prendre férocement au moulin, dans la cuisine, et laissais mes larmes couler. Je concevais tout à coup qu'on pouvait du jour au lendemain démériter, tomber plus bas que terre, sans même s'en apercevoir. Je m'allongeais sur votre lit, fermais les yeux et me faisais à moi-même le serment de ne jamais perdre le cap, de garder constamment l'œil ouvert et, sans penser plus loin, aussitôt m'endormais. Une voix me réveillait, un chantonnement d'ange, une mélodie languissante, enjôleuse. Je déboulais l'escalier pour t'apercevoir, sur la galerie, juchée sur ce que tu appelais ton « trône d'étendeuse » – une rallonge en bois de quai que papa avait rafistolée et clouée à l'arrière de la maison –, une pince à linge entre les dents, ta vieille jupe verte des mauvais jours volant autour de toi. Tu chantais, délivrée. La dernière chemise accrochée prenait fièrement le vent, tes cheveux aussi, et tu souriais, exactement comme sur la photo.

— Pourquoi tu me regardes comme ça ?

Parce que tu n'étais plus la même et que pourtant c'était bien toi et que tu chantais, imitant Ginger Rogers, que tu aimais tant, parce qu'elle savait s'y prendre pour transformer « le chagrin en sérénade et la colère en boogie-woogie ».

— Tu chantes tellement bien, Maman !

— Je chante pas, je bourdonne comme un taon dans une enveloppe !

L'oncle Désiré avait bel et bien tenté par trois fois de se pendre dans son hangar, Yolande avait « ses vapeurs », Jeanne « ses syncopes », Viviane se goinfrait jusqu'à perdre connaissance, Roger avalait son gin comme de l'eau et discourait ensuite solennellement, « en important monsieur promis ni plus ni moins qu'au paradis terrestre », Rita administrait son cinq-dix-quinze « à la manière d'une madame d'hôtel de passe », examinant savamment chaque client pour tenter d'apercevoir le démon qui le tenait et quelle babiole de son caravansérail risquait d'en faire un habitué dévot, condamné à dépenser chez elle toute sa fortune. On disait de Délima qu'elle n'était pas à sa place dans son couvent où « ce qui était arrivé avec l'ancien bedeau, quel malheur ! » l'avait conduite. Pas de doute, tes frères, tes sœurs et toi aviez « un méchant bourdon dans la boîte à sel ». Il fallait se fermer le clapet quand Viviane s'amenait chez nous en larmes, quand Roger débarquait, nippé en *bootlegger*, chaussé de lunettes de soleil sous la pluie battante, quand on allait visiter Délima, dans son couvent

« au diable vert », quand Jeanne frappait faiblement à notre porte, le chapeau de travers, franchissait le seuil comme une somnambule et tout de suite se laissait tomber sur une chaise, comme atteinte par une balle perdue, mâchonnant qu'elle venait de mettre le feu à ses armoires de cuisine, « le diable savait pourquoi ». Tu me forçais alors à disparaître – « Va jouer dehors, y fait trop beau ! » –, claquant la porte sur le drame en cours. J'avais beau coller mon oreille à la fenêtre du salon, je n'entendais que des sanglots, des murmures, des lamentations indéchiffrables, un récitatif à deux voix, qui montait, descendait, comme les répons des fidèles à la messe du dimanche. Papa surgissait du jardin, posait sa grande main sur ma tête et disait :

— Ta mère confesse. Viens, on va aller se promener.

Et puis ça a été ton tour. Tu ne mangeais plus. Assise sagement à ta place à table, tu scrutais les murs, les chaises, le poêle, comme s'il s'agissait de monstres inexplicablement apathiques, mais qui d'une minute à l'autre allaient charger, t'attaquer. Tu laissais tranquillement couler tes larmes dans ta tasse de thé, tes mains mortes allongées sur la table, de chaque côté de ton assiette inentamée. Tu rangeais le beurre dans l'armoire, les céréales dans le frigidaire, le balai dans la salle de bain. Tu disais : « Je monte me reposer », alors que ta chambre était au rez-de-chaussée. Et tu montais, en effet, et nous t'entendions bardasser, traîner les meubles de ma chambre sur le plancher, qui grondait comme un orage. Le sourire en coin, mais les yeux battus, papa disait :

— C'est le grand ménage. Faut croire que ta mère attend de la visite.

De la visite en robe de noces déchirée, en habits de deuil, de la rare visite noire. Tu poussais des petits cris de souris dans la trappe, puis des gémissements de persécutée qui faisaient se plaindre avec toi les vitres des fenêtres. Tu parlais aux morts, réglais tes comptes avec eux, apostrophais rageusement tous ces grands coupables muets. Nous t'entendions les nommer, les questionner, les sommer de se rétracter, « et plus vite que ça ! ». Puis tu te mettais à crier :

— Pourquoi? Dites-moi pourquoi, pour l'amour!

Et ça s'arrêtait comme c'était venu. Tu redescendais, drapée comme une Clytemnestre dans l'édredon de mon lit, majesté enjôlée, pâle, l'œil brillant, peut-être même vainqueur. Tu dévisageais papa comme s'il avait pris la place d'un autre, que peut-être tu avais follement aimé et qui avait mystérieusement disparu. Moi, tu ne faisais que me frôler, et pour cause : je n'étais pas au monde encore, tu étais revenue trop loin en arrière. Ça se voyait, tu avais de nouveau dix-huit ans, jamais, au grand jamais tu ne te marierais, un destin tout autre t'appelait. Tu recommencerais et cette fois tout marcherait autrement. Tu levais les yeux au plafond et marmonnais :

— Oui, monsieur dame, ça va changer !

Tu fixais obstinément la bouilloire sur le poêle, le témoin le plus impartial de ton grand ménage de printemps, et lui chuchotais :

— J'ai pas d'affaire ici-dedans, pis toi non plus. Chut ! C'est une erreur, une faute de la nature. Mais ça va changer, je t'en passe un papier !

Je quittais la table, enfant arrivé bien avant son heure et qui se mouvait en fantôme dans la pièce, incapable d'oublier qu'il vivait déjà, qu'il était là depuis des années et que sans doute il aurait à continuer, le diable savait comment. Je me rendais à l'école comme en rêve on avance dans la vague qui vous refoule, écoutais sans les entendre les leçons de la maîtresse. Je te voyais sauter de la fenêtre de ma chambre, plonger de la chaloupe au milieu du lac, flotter dans l'eau rougie de sang de la baignoire. Je te voyais mariée à l'autre, un bel homme à moustaches, comme M. Charlebois, qui te lorgnait amoureusement à l'église et qui avait « le cœur sur la main gauche pis le portefeuille sur la main droite ». Je me voyais entre vous deux, surnuméraire encore, mais content, content pour toi. La maîtresse me renvoyait à la maison. J'entrais dans la cuisine comme on pénètre dans la gueule du loup. J'apercevais la bouteille de gin à demi vide sur la table, ta cigarette fumant toute seule dans le cendrier. Je ne te cherchais pas, tout de suite tu m'appelais :

— J'suis dans la chambre. Viens me trouver !

Ta voix était pâteuse, rauque, détimbrée. Tu n'étais pas dans ta chambre, comme de raison, mais allongée sur le sofa du salon, emmaillotée dans mon manteau d'hiver, les mains croisées sur ton ventre, comme une morte dans son cercueil. Et de ton cercueil longuement tu me parlais, de ta très prochaine extinction et des fleurs, surtout des fleurs, des couronnes d'œillets et de narcisses, que tu me suppliais de ne pas oublier.

— Une mort sans fleurs, c'est triste sans bon sens !

Tu ne paraissais pas du tout découragée ni même effrayée. Simplement tu mettais en scène avec légèreté, frivolité même, tes propres funérailles, n'oubliant aucun détail, alignant tes frères et sœurs, par ordre d'arrivée au monde, derrière le corbillard, prédisant un beau soleil pour l'enterrement, un ciel « du bleu de ma théière anglaise, héritée de ma tante Valentine ».

— Oh, je sais ben, pour une mère, mourir à quarante-cinq ans, c'est de valeur effrayant ! Mais que c'est que tu veux, c'est la vie. Je sais que tu vas m'oublier. Tu m'oublies déjà. C'est comme ça. Pis c'est comme ça que ça doit être, je suppose.

C'était peut-être le gin qui t'avait alanguie ?

Mais peut-être pas non plus. Je restais là, à genoux sur la catalogne, à ton chevet, le souffle court comme si j'avais couru longtemps jusqu'à toi, chamboulé par une désolation que je devinais plus chimérique que les rêves qui me montraient ma propre disparition. Mais je ne disais rien. Je ne t'oubliais pas, non, je ne t'oublierais jamais et tu le savais : tu faisais précisément tout ce qu'il fallait pour que je ne t'oublie pas.

Un bon matin, tu es montée dans la Chevrolet de Désiré, une petite valise de carton bouilli à la main, que je voyais pour la première et dernière fois – tu n'as jamais voulu voyager, « À quoi bon, le monde est pareil partout ! ». On t'emmenait dans un hôpital. La dépression, chuchotait-on, sur la galerie, dans le salon, à l'église. Après Jeanne, après Yolande, après Viviane, c'était ton tour. À présent, c'était toi qu'il fallait soigner. L'épidémie était une étourdie qui frappait sans se soucier de l'ordre dans lequel vous étiez venues au monde.

Tu as reparu un mois plus tard, jour pour jour, tranquille, indolente, apparemment prête à endurer de nouveau et pour longtemps ton martyre d'épouse et de mère, ton destin d'esclave.

Peu avant la fin, comme je tentais d'évoquer l'épisode morbide, le tonitruant ménage du deuxième étage, le gin avalé à même la bouteille, tes airs d'évaporée, le bel enterrement sous des tonnes d'œillets et de narcisses, tu t'es dressée dans ton lit, le regard noir « comme le dos du loup », et tu m'as dit :

— J'ai jamais fait de dépression ! Ni Jeanne ni Viviane ni Yolande ni même Délima non plus ! Mes sœurs sont comme moi et moi comme elles : des âmes délicates, sensibles, un point c'est toute !

— Mais…

— Y a pas de mais ! C'est vous autres qui manquez, qui avez toujours manqué d'attention, de gratitude, de…

— D'amour ?

— Oh, le grand mot, que personne sait c'qu'y veut dire ! À part de ça, c'est pas votre faute, à ton père pis toi. Vous êtes nés avec un bardeau qui manquait. Le bardeau de l'attention !

Sur la galerie, à la brunante – ton heure –, l'automne de mes treize ans :

— Imagine ! Si j'étais née ailleurs, dans un autre temps, un autre village, une autre famille, avec un autre corps, plus mince, plus élancé, un visage à la Greta Garbo. Si j'étais née dans une autre maison, avec des parterres de fleurs tout autour, pas un château, exagérons pas, mais une belle maison, à trois étages, ma chambre avec un édredon de satin, des grandes fenêtres encadrées de jalousies bleu ciel, une écurie avec des beaux chevaux blancs qu'on peut faire atteler pour des promenades dans les vergers, après la messe…

— T'aimes pas les chevaux. Tu dis toujours qu'ils sentent mauvais.

— Ceux de ton oncle Fred ! Pas ceux de mon rêve, qui seraient brossés tous les matins pis mangeraient rien d'autre que la belle avoine de nos champs.

— Vos champs ?

— Comme de raison, on aurait des champs ! Des grands champs de blé, d'orge, une grande prairie plantée de tournesols qu'on gagnerait en prenant un chemin de petits cailloux roses, que la rosée pis le soleil feraient briller comme des bijoux !

— Si t'achèves pas, on va être en retard à la messe.

— On ira aux vêpres, ça va faire pareil.

— Péché !

— Tu peux ben rire, toi qui es né sans âme, comme un sorcier d'Afrique ! On n'est pas bien, comme ça, tous les deux, à se bercer dans la véranda de notre château ?

Et tu riais et je riais à ta suite, gagné par ta rêverie facétieuse et qui condamnait le banal, les autres, tous ces étroits d'esprit du village qui ne convoitaient rien, ne désiraient rien, ne savaient rien. Toi, tu savais, à ton heure, t'échapper, tourner le dos à l'accablant jour le jour, fausser compagnie à ton décor de Cendrillon, gagner ton ciel, en amazone sur ton cheval blanc à la crinière bouclée.

Le merle piaillait dans le lilas. La voiture du laitier s'arrêtait au bord du trottoir. Tu saluais de la tête M. Lanthier, qui s'avançait précautionneusement dans l'allée pour remettre en mains propres à sa majesté le sceptre et la couronne : la pinte de lait et le demiard de crème. Tu fermais les yeux, passais longuement tes doigts sur le lisse et le frais des humbles offrandes, chantonnant à mi-voix :

— *J'attendrai le jour et la nuit, j'attendrai toujours...*

Tu avais une si belle voix. À mon contentement de sauter la grand-messe s'additionnait le petit bonheur un peu triste de te savoir jubilante malgré toi, déserteuse, fuyarde : sans honte ni regret, tu avais abdiqué ton sort déloyal de « mère-servante-torcheuse » et appareillais pour un autre monde, où flambaient les couleurs et soûlaient les parfums.

— *Car l'oiseau qui s'enfuit vient chercher l'oubli dans son nid…*

Je bourdonnais un moment avec toi – depuis le temps, je connaissais l'air par cœur –, puis tu t'arrêtais, les yeux lancés je ne savais où, comme rattrapée par une apparition connue de toi seule.

— Si t'allais nous chercher deux *revels* au coin ?

Je bondissais de ma chaise, chevalier servant ayant usurpé trop longtemps auprès de sa souveraine une place qu'il ne méritait pas. Sans traîner les pieds, je filais comme un coursier, sur le trottoir brillant de soleil. Je volais pour satisfaire ton caprice. Brusquement, je ralentissais et, cheminant à cloche-pied, je songeais : « Il n'y a qu'avec moi qu'elle se laisse aller à rêvasser comme ça. Pourquoi ? » Je ne le savais pas. Je ne le sais toujours pas.

Mais j'aime encore *Rossignol de mes amours,* que je fredonne chaque fois qu'une sournoise envie de décamper de mon destin me prend. Et j'aime toujours les *revels,* bien glacés, dans lesquels on mord, les yeux fermés, jusqu'à ne plus voir au fond de sa tête qu'un grand soleil polaire.

Je le répète, tu avais la mémoire longue, n'oubliais jamais rien. Ni ton chapeau chez Jeanne ni ta gratte ni ta pelle au fond du jardin ni la couleur des boutons de la robe de ta première communion ni « l'air de butor » du vicaire de ta première confession ni la configuration suspecte et la vilaine couleur aubergine du nuage qui vous avait surprises, tes sœurs et toi, dans le champ de fraises derrière la grange délabrée des Dufresne, où piaffait une jument « à la robe couleur de brique », ni le tablier taché de sang de ta mère – « Je tremblais de tous mes membres et pourtant je savais que c'était du sang de fraise, mais Maman avait déjà commencé sa grande maladie ! » – ni mes mensonges ni mes omissions ni la crinière ébouriffée de Mme Griffith ni le nombre exact de chemises, de jupes, de pantalons, de caleçons, à manches courtes, à manches longues, que la bonne femme étendait, « le dimanche comme la semaine », sur sa corde à linge, ni la grimace de folle qu'elle t'avait faite en te déclarant perfidement que « ton linge était mal rincé, qu'y mettrait un temps fou à *chesser* », ni les mots sans charité que tu avais alors eus pour elle – « Pis vous, c'est pas parce que vous lavez plus propre que votre âme est pas noire comme le cul de l'ours ! » – ni les paroles d'exaspération de papa, ses mots précis, ineffaçables – « J'en connais qui sacreraient leur camp au diable vert pour moins que ça ! » – ni l'air que fredonnait ta couturière, Mme Desruisseaux, en ajustant ta robe de mariée – *« Ah, vous dirai-je, Maman, ce qui cause mon tourment »* – ni l'élégant costume noir ni le visage « blanc comme un drap » de Yolande, à l'enterrement de son mari, « parti ben que trop vite » ni l'air piteux du grand Paul, ton futur, quand il s'est enfin agenouillé, « après sept ans, huit mois et trois jours de tournage autour du pot », pour te supplier de convoler avec lui en justes noces, « pour le pire pis le meilleur, surtout pour le pire ! », ni la chaleur effrayante qu'il faisait le matin de ta délivrance – ma venue au monde – ni l'haleine de whisky et de cigare du Dr Delorme ni les Noëls sans neige ni les mois de mai sans lilas ni tel été sans le moindre orage ni tel octobre caniculaire… Je n'en finirais pas d'inventorier tes remémorations, réminiscences et commémorations, ces engrangements indélébiles, si je n'en avais pas oublié plus des trois quarts.

— T'as donc pas de mémoire pour un acteur !

Les gestes égarés de papa, qui ne se déployaient pas toujours dans ton dos, tu faisais semblant de les oublier. Tu voulais les oublier. Une seule fois, faisant mine d'admirer le sang pâle du couchant dans la fenêtre de ta petite chambre, à la Villa, tu m'as dit :

— On reçoit souvent ce qu'on demande, que ça fasse notre affaire ou pas.

Un point c'est tout, et ça s'est arrêté là. Tu as brusquement refermé la fenêtre, qui a claqué comme un couperet, et tu t'es mise à frotter furieusement la vitre, à l'aide de ta manche, comme tu astiquais sans finir, autrefois, le comptoir de l'évier.

Six mois avant ton décampement final, on avait « placé » ta sœur Rita dans une chambre du premier étage de la Villa. Diagnostic : maladie d'Alzheimer. Tu ne l'entendais pas du tout comme ça.

— Ta tante a toujours été égoïste ! Égoïste pis paresseuse. Y a pas à chercher plus loin ! Pour elle, les autres ont toujours été des fantômes placés sus son chemin au petit bonheur la chance ! Pis menteuse, avec ça ! Gréyée d'une paire d'yeux d'éberluée incapables de distinguer le long du large pis le pointu du creux !

— Elle est malade, Maman ! C'est toujours ben pas de sa faute !

— Oui, c'est de sa faute !

— Voyons donc !

— Tiens, la v'là ! Écoute pis regarde, tu vas te rendre compte !

D'un pas peureux, Rita entrait dans la chambre – on aurait dit une ressuscitée, peu sûre du réel, aussi bien celui devant que celui derrière elle, une grande coupable sur le qui-vive. Comme si elle ne se trouvait pas plantée dans le cadre de ta porte, à trois enjambées seulement de ta chaise, mais se tenait toujours, raide et terrifiée, dans ton souvenir sans clémence, tu disais :

— Comme de raison, elle va prendre le fauteuil ! Tiens, qu'est-ce que je viens de dire ?

Rita, en effet, s'était laissée tomber, comme évanouie, dans notre vieux chesterfield, que tu m'avais obligé à déménager à la Villa, celui que tu avais baptisé « le confessionnal », du temps qu'il trônait dans notre salon, entre le poêle en fonte et la fougère en pot. Tu ne la regardais pas même du coin de l'œil. Rita, elle, te dévisageait attentivement, de pied en cap, nouant et dénouant ses mains sur un bras du fauteuil. Tu pointais le doigt vers moi et disais :

— Tu le reconnais, au moins ?

Rita branlait la tête, de gauche à droite, de bas en haut.

— Fais pas semblant, Rita, ou je t'arrache la tête ! Tu sais très bien qui c'est !

La pauvre hochait craintivement la caboche. Tu lui tapotais vigoureusement le bras.

— Bonne fille, va ! Ast'heure, dis-moi où se trouve ton manteau de faux vison !

Rita haussait les épaules, le regard en allé dans le bric-à-brac d'une boutique de souvenirs sens dessus dessous, et finalement risquait :

— Dans la penderie de ma chambre à coucher.

Furieuse, enragée, tu lui attrapais les poignets, la secouais comme une carpette infestée de puces.

— Menteuse ! Tu l'as fait entreposer chez le nettoyeur Gagné pour l'été, comme tu le fais chaque année depuis que Fernand est parti !

— Fernand est parti ? Y est parti où ?

— Y est mort, parti, crevé ! Pis tu le sais très bien ! C'était le père de tes trois garçons, Jacques, Pierre pis Jean-Paul !

— C'est-y un de mes garçons, celui-là ?

— Non, c'est le mien ! Pis tu vas me dire son nom ou je t'étripe !

Tu ne levais pas le bras, mais c'était tout comme : Rita se recroquevillait dans le fauteuil, vieille gamine égoïste et paresseuse qu'elle était. Je disais, élevant la voix comme papa quand « ça suffisait » :

— Maman, arrête ! C'est de la cruauté mentale !

— Pantoute ! Le docteur lui-même l'a dit : ta tante va mieux depuis que je m'en occupe !

— Tu la martyrises, tu le vois bien !

— Elle, une martyre ? Fais-moi pas rire ! C'est une évaporée, une sans-cœur ! Elle a toujours été comme ça ! Mais, vois-tu, j'ai décidé que ma petite sœur finirait pas son existence dans une étourderie qui fait pas mal trop son affaire ! Y a toujours ben des limites !

Rita levait alors sur toi deux yeux dépris de tout souvenir comme de toute certitude et qui paraissaient dangereusement proches de virer en eau.

— Pis épargne-nous tes larmes de crocodile, pour l'amour !

Mais Rita ne pleurait pas. Depuis un bon moment, éloignée du chagrin comme du contentement, elle avait pris l'habitude d'apercevoir, avec une même indifférence, le blanc comme le noir, le chaud comme le froid, le passé comme le présent. Si elle t'obéissait, c'était à la manière de la bête qui s'est fait battre trop souvent pour oser montrer les dents.

Découragée, tu te levais de ta chaise et disparaissais sur le petit balcon, où nous t'entendions passer ta rage. Je raccompagnais Rita à sa chambre, où elle me suivait, docile comme une aveugle, et quittais la Villa sans remonter te dire bonsoir.

Je roulais lentement, entre chien et loup, sur des chemins que je ne reconnaissais pas. Des chiens sortaient de sous des galeries englouties dans la nuit, se lançaient comme des loups à ma poursuite, mordaient la poussière derrière moi et rentraient bredouilles. J'aurais abandonné tout ce que je possédais, jusqu'à mes souvenirs les plus chers, pour que te vienne enfin, à toi, l'oubli. L'oubli inespéré, un vrai naufrage, le miséricordieux oubli, celui qui rend aveugle et sourd aux choses mortes et qui ne reviendront plus jamais.

Je ne t'ai jamais vue ouvrir un livre. Mais, un hiver – je devais avoir douze ou treize ans –, tu t'étais fait faire une paire de lunettes, « pour lire le journal ». Tu étalais les grandes pages fleurant l'encre d'imprimerie sur la table et te penchais, appliquée, cérémonieuse, sur les feuillets nécrologiques. Regardant attentivement les visages sérieux de disparus que tu n'avais jamais aperçus de leur vivant, tu soupirais, gémissais, comme si hier encore tu avais pique-niqué avec cette vieille dame en robe à fleurs, dansé avec cet élégant monsieur à moustaches. Tu t'exclamais :

— C'est donc de valeur ! La vie est trop courte, Seigneur !

Prétextant que le texte sous les photographies était « écrit ben que trop petit, du vrai chinois ! », tu me demandais de lire les noms, les dates, qui donc laissait dans le deuil trois filles et un garçon, quel était le nom de cet homme tombé du toit qu'il déneigeait, quelle méchante maladie avait endurée ce jeune garçon « au visage de saint » avant de rendre l'âme. Tu disais :

— Y me semble de le voir, tout seul dans sa chambre d'hôpital, aux antipodes de sa maison natale, à pleurer des grosses larmes que personne est là pour essuyer !

Et tu versais de telles larmes, silencieuses, sincères, sur le beau jeune homme affichant un étroit sourire de vaincu, pâle, raide et endimanché, sur la mauvaise photographie du journal – « Peut-être un jeune fiancé qui laisse dans le noir sa promise ». Tu essuyais tes paupières de la manche de ta robe de chambre, tournais la page d'un grand geste funèbre et définitif, pour aussitôt admirer le frigidaire qu'il nous faudrait donc, le grille-pain qui nous faisait si cruellement défaut, le sofa « assez long pour les grandes cannes de ton père » et où « il ferait tellement bon s'allonger après souper ». Tu soupirais encore un bon coup, le regard embué par un contentement sans équivoque, qui me faisait rire mais ne durait pas longtemps, parce que tout en bas de la page, la portière à demi arrachée d'une voiture écrabouillée laissait pendre le corps affreusement mutilé d'une jeune femme, sa robe de soirée maculée de sang noir.

— Te rends-tu compte ? Ça pourrait être Yolande, Jeanne, Viviane ! Ou même, pire, moi, doux Jésus !

— On n'a pas d'auto, Maman !

— Et le taxi de Désiré, la Ford de ton oncle Roger ?

— Tu y montes juste pour aller à la messe, et encore, seulement quand y fait mauvais !

— Tu comprends pas ! T'es trop jeune ! Pour toi, la mort, c'est le méchant sauvage tiré par le cow-boy à la télévision !

Et puis, un jour, aussi inopinément qu'elles étaient apparues, les lunettes t'ont faussé compagnie – tu les avais oubliées à l'église, où d'ailleurs tu ne les traînais jamais, ou bien elles avaient glissé, le diable seul savait comment, dans la boîte postale, en même temps que le gros paquet contenant deux douzaines de carrés aux dattes destinés à Délima, qui mangeait si mal dans son couvent. J'en fus quitte pour te lire, chaque matin, en détail, l'inventaire des morts, la quantité d'œufs qu'il fallait battre à la main pour réussir le gâteau des anges, le prix exorbitant demandé pour un fer à repasser à long fil, pour un râteau à feuilles au manche en bois franc, d'où provenait le tissu brillant dans lequel était taillée la toilette nuptiale de Muriel Millard, ou bien le harnachement de pourpre et d'or que portait le pape bénissant la foule, du haut de son balcon de la place Saint-Pierre de Rome, le matin du dimanche des Rameaux.

Tu m'as mené en bateau, comme ça, pendant plus de quarante ans. Tu n'avais pas besoin de lunettes pour la simple et bonne raison que tu ne savais pas lire ! Tu m'as fait l'aveu de ton infirmité – « Une vraie honte, une défaveur sans bon sens du sort ! J'ai juste une troisième année, et encore de justesse ! » – quelques mois seulement avant ta fin.

— Tu comprends, c'est ben effrayant ! T'écris des livres pis je peux pas les lire ! Si tu voulais, disons, me réapprendre ? Je pourrais enfin déchiffrer de quelle manière tu t'y prends pour laver notre linge sale devant tout le monde !

Sourire malicieux, œillade enjouée de très jeune fille qui va peut-être enfin décrypter un gros secret. Et tu t'es mise, courageusement, à épeler les mots, les phrases, puis à les calligraphier dans un cahier, que j'ai toujours et que je ne peux plus ouvrir sans que les yeux me brûlent. Et tu as lu, avec une lenteur studieuse, religieuse, quelques-uns de mes romans, dont tu notais des passages dans le cahier.

— Penses-tu qu'on peut encore trouver, comme dans ton livre *Une belle journée d'avance*, des étoiles vertes pis rouges, ou ben des petits anges roses volant dans le vide, comme ceux que la maîtresse collait autrefois dans la marge de mon cahier d'école ? J'en collerais bien dans mon nouveau calepin d'aujourd'hui, à côté de l'une ou l'autre de tes facéties de saute-ruisseau !

Déjà tu jaspinais autrement, tu te « forçais », t'essayais à l'articulation de mots nouveaux, tout neufs, les miens. Et ça n'a pas été long que tu as débusqué des fautes, non pas d'orthographe, mais de mémoire, dans mes pages.

— Celle que t'appelles Rachel, dans ton histoire, la voisine qui se déshabillait devant ton père, elle était pas folle pantoute ! C'était une grande malade. Le dictionnaire que tu m'as offert l'appelle *nym-pho-mane*, si je prononce comme y faut. Pis on n'a pas retrouvé la grande cloche de l'église dans la baie des trois pins, après l'ouragan de l'automne quarante-quatre, mais pas ben loin de l'île de roche où ton père va pêcher. T'es comme moi, t'exagères, tu finasses, tu vois la lune en plein midi. Y a pas d'offense, t'es un artiste. Tandis que moi… Encore une fois, je te le demande : j'ai été qui, j'ai été quoi, peux-tu me le dire, pendant les quatre-vingt-douze années où j'ai vécu dans ce que t'appelles queque part « ce côté-ci du mystère » ?

— Maman, toi seule le sais.

— Pis le diable, comme de raison. Mais ton livre est beau, même si tu m'écartes à tout bout de champ. Au fond, t'es pas tellement comme moi que comme ton père. T'es ailleurs que là où tu te trouves. Tu rêvasses, assis à l'ombre, tu tournes autour du pot, tu t'approches du malheur comme du contentement sur la pointe des pieds, mais les yeux grands ouverts. Je savais tout ça ben avant de te lire, ben sûr. Mais, vois-tu, c'est un peu comme quand je pognais le fixe en face de la peinture de ton père, accrochée au-dessus du sofa du salon, tu sais les grands bouleaux habillés en automne ? On y est allés souvent, lui pis moi, dans sa maudite chaloupe qui prenait l'eau comme sa puise à ménés ! Pis pourtant, quand je regardais la peinture – des fois deux heures durant sans broncher –, y me semblait que je les voyais enfin, ces beaux grands arbres là, pas vraiment comme y étaient, ni même comme ton père les voyait, mais comme si la petite plage en dessous des bouleaux nous espérait encore, lui pis moi, après toutes ces années, pis que d'une minute à l'autre…

Tu pleurais-riais, je faisais de même. L'orangeade tiédissait un peu plus dans sa carafe, sur ta table de chevet. Puis tu disais :

— À présent, c'est pas des lunettes qu'y me faudrait pour lire tes livres, mais une loupe ! Je vois quasiment pus rien !

Quand il m'a fallu vider ta chambre, le lendemain de ton extinction, j'ai retrouvé la loupe en question sous ton oreiller, sagement posée sur une douzaine de mes pages disloquées, pêle-mêle – il t'avait fallu les détacher une à une et les placer sur le semblant de lutrin que je t'avais fabriqué, au-dessus duquel la lentille grossissante figurait un grand œil fixe de chouette. Et j'ai trouvé aussi, écrite au verso du menu de ce jour-là – *soupe aux pois, croquettes de poisson, jello à la cerise* –, une phrase du roman de moi que tu préférais, tremblante, embrouillée :

L'enfant sera forcément trahi, mais il y a de belles trahisons.

J'émerge, essoufflé, d'un rêve où tu t'adressais à moi dans une langue inconnue. Inquiète, énervée, volubile au-delà de ton accoutumée, tu cherchais à me confier le fin mot de ton histoire, la réponse enfin à ta question lancinante – « J'ai été qui, j'ai été quoi, peux-tu me le dire ? » –, mais arrangée dans un charabia inintelligible, où revenaient sans arrêter, comme le refrain traînant d'une complainte, mes trois prénoms, chantonnés tristement, à la manière des prières que je marmonnais autrefois sans comprendre ce qu'elles voulaient dire.

C'est moi, bien sûr, qui me pose à moi-même, en plein cœur de la nuit, la question suppliciante. C'est ma voix dans la tienne qui psalmodie *Joseph, Serge, Robert,* espérant que ces trois-là répondront à l'appel et articuleront à ma place une réponse claire, nette, définitive à ta grande question « à cent piastres ». Quelque chose comme : « J'ai été celui qui a eu raison de t'aimer, puis raison de te haïr et de s'enfuir, raison de faire sa vie loin de toi, et finalement raison de rentrer, même s'il se fait tard. »

Au fond, peut-être est-ce à la fois fatal et tout simple et chacun doit-il faire comme ça : aimer, détester, fuir, faire sa vie au loin et, à la brunante, revenir, moitié attaché moitié libre, moitié guéri moitié vengeur, sur les lieux du beau carnage.

— Tu rentres ben tard, donc !

— Je sors quand je veux, je rentre tard si je veux, j'vais où je veux et je reviens quand je veux et ça finit là !

— Tu me parleras pas sus ce ton-là !

— C'est mon ton, à présent, pis tu devras t'y habituer !

— Mais qu'est-ce que j'ai fait au bon Dieu… ?

— Mêle-le pas à nos affaires, Celui-là !

— Celui-là ! T'as pas honte ?

— Je monte me coucher !

— J'espère au moins que t'as pas oublié que demain matin on doit aller…

— Nulle part ! Je dois aller absolument nulle part ! Et si je vais quelque part, moi seul sais où et ce que je compte y faire !

— T'es donc ben à pic, à soir ! T'as pas bu, j'espère !

— Maman, j'ai dix-sept ans !

— Justement !

— Quoi, justement ?

— J'me comprends !

— Pour une fois ! Comme tu dis : je vais faire une croix sur le mur !

— Sois pas malveillant ! Pis pas besoin de me souffler dans le visage comme ça, je le sais que t'as bu !

— Une bière, chez Claude !

— On commence par une, pis...

— Une, j'te dis !

— A beau mentir qui rentre quasiment à la barre du jour !

— Qu'est-ce que c'est censé vouloir dire, ça ?

— Monte si tu veux – les oiseaux chantent –, mais va pas t'imaginer que ça va s'arrêter là !

— Tu perds ton vent ! Je suis décidé à prendre le large !

— C'est à voir !

— C'est tout vu ! Bonne nuit !

— Pas si fort, tu vas réveiller ton père !

— Y serait un peu temps, non ?

— Hein ?

— Que je le réveille, comme tu dis !

— Tu parles à côté des mots ! T'es soûl !

— Ben oui, comme de raison !

J'ai grimpé quatre à quatre l'escalier, me suis laissé tomber comme un mort sur mon lit – votre ancienne couche de noces, collée contre le mur de lattes que j'abominais, avec son grand crucifix sans crucifié, accroché entre la Vierge-à-la-main-sur-le-cœur, le visage encerclé de rayons, et la colombe blanche atterrissant sur la tête de « l'apôtre que Jésus aimait ». Mais à la guerre comme à la guerre ! Sous le regard affligé de cette Trinité-là, j'échafaudais ma délivrance, attrapais je ne sais quelle main tendue, suivais tel bel étranger qui paraissait connaître l'endroit du monde où j'étais attendu, l'initiatrice délurée qui daignerait poser sur ma triste carcasse son tendre regard d'ange gardien, suppliais à voix basse l'être surnaturel qui peut-être déjà m'aimait : « Referme tes ailes sur mon corps avant que je bascule dans le précipice ! » Et je m'endormais, persuadé que mon grand décampement était proche.

Toi, tu ne dormais pas. À t'écouter, tu ne dormais jamais, rôdais toutes les nuits dans la grande forêt vierge des choses mal advenues. Papa disait :

— Ta mère pis ses sœurs sont toutes malades des nerfs, va donc savoir pourquoi ! Une vraie malédiction !

Tu sortais de la chambre comme une revenante, la tignasse en bataille, les yeux pochés.

— J'ai encore enduré le martyre toute la nuit !

Tu risquais dans ma direction une œillade, ensemble apeurée et méfiante :

— Quelqu'un doit ben savoir pourquoi.

Papa disait :

— Tu manges pus aussi ! Mange queque chose, un fruit, un bout de fromage !

— À quoi bon, ça passera pas.

Plus rien ne passait, ni le pain ni le beurre ni le thé ni le café ni le chagrin ni même le temps : tu étais de nouveau échouée. Et tu nous exposais, avec l'impudeur exemplaire de la victime fraîchement torturée, toutes nos cruelles ingratitudes, baissant sur nous le regard éploré de l'écorchée vive qui miraculeusement n'est pas encore défunte. Je pensais : « Quelle actrice elle ferait ! Katharine Hepburn, Joan Crawford et même la grande Marlène Dietrich pourraient aller se rhabiller ! »

Mais j'avais mal tout de même. En devenant qui j'étais, je t'éteignais, t'arrachais toute vie, tout entrain. Je te volais ce qui te restait de ta jeunesse, le bourdon de tes chansons, jusqu'au prodigieux soulagement de tes rêves. Je n'étais pas ton fils, mais un étranger sans âme et sans scrupules, un poignardeur de faible cœur de mère. Mon cœur à moi, tombé au fond de mon ventre, me prouvait ma cruauté, me conseillait, mais trop tard, de filer doux, m'exhortait à une tendresse introuvable, même en me fouillant de fond en comble. C'était enfin, déjà, la banqueroute, le cul-de-sac de nos amours, depuis le commencement si difficiles à pratiquer. La dégringolade dans cet envers du paradis, où il était écrit depuis toujours que nous renierions notre alliance, toi et moi.

— T'es dur ! T'es devenu tellement dur !

Dur ? Sans doute, mais pas plus que toi. Et puis

tu savais bien que ce songe que je faisais de dénicher, au fond du tiroir, le long couteau à trancher le rosbif, pour en finir avec ta folie, cédait aisément sa place, dans mes jongleries moroses, à l'irrésistible envie de plonger la même lame dans mon propre ventre, juste sous mon nombril, qui à t'écouter « n'était pas sec ».

Je sortais en claquant la porte, acteur médiocre à mon tour, dépris de toi jusqu'à la prochaine fois. Aux nuages pâles, indifférents, je criais :

— C'est entendu ! C'est final bâton ! Je pars ! C'est pour d'un jour à l'autre !

— T'étais parti ben avant de t'en aller. Encore une fois, j'te le dis, comme ton père t'as jamais vraiment été là où t'étais. Tu te rappelles *Le Survenant,* à la télévision ? « Le vaste monde ! » qu'y disait. Y avait pas moyen de deviner de quelle contrée merveilleuse, de quel paradis terrestre le grand dieu des routes parlait. C'était pas pour voir du pays qu'y laissait le chenal du Moine derrière lui. Y partait pour partir. C'était juste sacrer son camp qu'y voulait, ni plus ni moins. Comme toi, y s'en allait courir trente-six chemins pour oublier. Oublier, c'était ça, la grande affaire ! Oublier l'amour « si difficile à placer », comme disait ta grande tante Valentine. Ç'a été pareil pour toi. Oublier. Mais on n'oublie pas plus dans le vaste monde qu'ailleurs. On se perd, c'est toute !

— C'est vrai et c'est pas vrai.

— Entendre parler que celle qui s'exprime par énigmes, c'est moi ?

— C'était plus compliqué que ça, Maman. Surtout plus difficile. Et tu sais très bien ce que je veux dire.

— A beau mentir qui revient de loin !

Comme si tu avais arrangé l'interruption d'avance avec elle, la préposée que tu aimais – une grande rousse au sourire carnassier – entrait au pas de charge dans la chambre, brandissant comme une arme le pot d'orangeade, qu'elle posait avec une délicatesse inattendue sur ta table de chevet. Ni toi ni moi n'avions envie d'y toucher. La fille s'en retournait et aussitôt je sortais de mon sac la bouteille de coke. Sur ton signal – un vif clin d'œil de tricheuse ravie –, je tirais la petite languette pendant que tu contrefaisais une toux à t'arracher les bronches afin de couvrir la petite explosion. Nous avalions dans un silence de messe des morts la potion délicieusement pétillante. Puis, je disais :

— Dis-moi franchement comment tu trouves ça, ici.

— Ici ou ailleurs, quelle différence ? Quand faut finir, faut finir. Peu importe où on est, on n'y est pus.

— Alors, on est où ?

Tu levais sur moi deux yeux de vieille bique depuis toujours mal domptée et, la main sur le cœur, les sourcils tout en haut du front, tu déclarais :

— Mais dans le vaste monde !

L'été de mes quinze ans, je lisais sans finir. Autrement dit, je t'échappais.

— Tu vas attraper ton coup de mort à lire de même, déculotté, en petite camisole sur la galerie, pis entre chien et loup, par-dessus le marché !

— ...

— Veux-tu ben me dire ce qu'y peut y avoir de si beau dans ce livre-là, pour que tu sentes même pas les maringouins te manger tout cru ?

— ...

— Lis-moi-z-en donc un petit bout, que j'me fasse une idée !

— ...

— J'te parle, le fantôme !

— Ça t'intéressera pas !

— Que c'est que t'en sais ?

— Bon, tu l'auras voulu !

Tu détachais ton tablier, approchais le vieux banc de bois, que tu avais baptisé « le trône du chat », même si jamais un chat n'avait posé la patte chez nous, t'asseyais en élève bien sage, les mains sur tes genoux, tes paupières pinçant deux lueurs soupçonneuses braquées sur le livre, comme si c'était lui, et non moi, qui allait parler.

— Chus parée ! Vas-y !

Si je ne me décidais pas, c'est que le poète, logé à la même enseigne que moi, allait me trahir, modulant pour ainsi dire à ma place ce qu'était la calamité d'avoir quinze ans et de « n'être compris que par les clairs de lune et les grands soirs d'orage ».

— Que c'est que t'attends ? J'ai un ragoût sus le feu, moi, là !

— Une autre fois, veux-tu !

— Si on dirait pas que tu vas m'annoncer ton agonie, ou pire, la mienne !

— C'est quasiment ça !

— Tut, tut, tut ! Accouche au plus sacrant, ça commence à sentir le roussi !

— Je t'ai dit une autre fois !

Je refermais, le faisant claquer comme un fouet, le recueil noirci de signes avouant mon malheur. Hélas, je savais par cœur le poème, qui cherchait à sortir de moi comme le mauvais sang d'une plaie. Alors je déclamais tout d'une traite mon mal de vivre :

— *Sur le jour expirant je n'ai donc pas pleuré,*
moi qui marche à tâtons dans ma jeunesse noire !
Je suis gai, si gai, dans mon rire sonore
Oh ! si gai que j'ai peur d'éclater en sanglots !

Tu ne bronchais pas. On aurait dit que je venais

de débiter du grec ou du latin. J'avais lâché en pure perte ma plainte, tu ne l'avais pas entendue, pas même écoutée, la tête ailleurs, sans doute devant ton fourneau. Et comme de fait, tu disais :

— C'est ben beau tout ça, mais mon chaudron colle. Tu le sens pas ?

Tu renouais ton tablier et filais à grands pas à la cuisine, d'où tu prononçais à tue-tête le jugement dernier :

— A beau « marcher à tâtons » le flanc mou qui se lève pas le matin, qui passera pas son année d'école pis qui sera obligé de travailler au pic pis à pelle jusqu'à la fin de ses jours pis qui crèvera sus la paille, ousqu'y aura pas envie d'écrire des chansons, j't'en passe un papier !

— Veux-tu ben me dire comment ça se fait que chus pas morte ?

— T'es pas tuable !

— Après tout ce que j'ai enduré !

— T'as jamais été malade, Maman !

— Ça, c'est vrai ! Ton père disait : « Ni chair ni os ni sang ! Des nerfs, rien que des nerfs ! »

— Peux-tu dire que papa avait tort ?

— Non, pis je le dirai pas non plus. J'me connais sur le bout des doigts, par cœur, d'un travers à l'autre. T'es bien placé pour le savoir, j'ai rien oublié. Ni le méchant ni le bon. Pourtant, me semble que j'arrive au bout du voyage sans être vraiment allée nulle part.

— Recommence pas, veux-tu !

— C'est vrai ! Chus jamais allée plus loin que Québec, en voyage de noces. On rit pas !

— T'as jamais voulu !

— Je le sais ben que trop ! Mais...

— Mais, quoi ?

— Je sais que t'aurais voulu m'emmener avec toi, des fois. Pis j'ai été souvent ben proche de te dire oui. Mais...

— Arrête ça tout de suite !

— N'empêche. J'aurais ben aimé y aller, moi aussi, dans le vaste monde.

— Maman, quand je suis rentré de mon voyage en Grèce, la seule chose que tu m'as demandée, c'est si ce monde-là mettait des rideaux dans leurs fenêtres !

— C'est vrai, je m'en souviens. Mais tu m'as même pas montré de portraits de ton voyage !

— Pour la simple et bonne raison que j'étais trop pauvre pour m'acheter un appareil photo !

— Ça fait que j'ai questionné ton père, qui est jamais allé ben ben plus loin que moi, mais qui avait toujours la tête dans le dictionnaire. Y a ouvert le gros livre sur la table pis y m'a plantée là ! J'ai passé toute la veillée à lorgner des statues pas de bras, des églises pas de clocher pis des cabanes blanches aux fenêtres sans rideaux, jouquées sur des falaises à pic sans bon sens, des petites cabanes pareilles aux blocs de sel qu'on donnait à lécher aux vaches, quand j'étais petite. Pis je me suis demandé ce que t'avais ben pu trouver de beau dans tout ça !

— T'as pas pu apercevoir la mer, dans le dictionnaire. C'était ça, le plus beau.

— Oh, j'en ai vu une petite longueur, de la même couleur que mon bleu à laver. C'était ben assez ! Juste à penser que tu te jetais là-dedans la tête la première me rendait folle ! Je dormais pus, je mangeais pus. Dans le miroir, le matin, j'avais l'air, comme disait papa, de ce que le chat a déterré trois fois depuis le matin !

Je le savais, bien sûr. J'avais aperçu, de loin, tes yeux de battue à mort, le fil mince à faire peur du sourire que tu m'adressais, du fond de ton miroir. Que de fois je m'étais dit : « Il me faudrait l'emmener de force, l'enlever, lui bander les yeux dans les avions, les bateaux, les trains, ne la débâillonner que devant le bleu à lessive infini de la Méditerranée, ses îles blanches à la dérive dans le vent brûlant. Bien sûr, il me faudrait, le soir, la soûler au retsina, pour qu'elle oublie et se taise devant les essaims d'étoiles proches à les attraper. Il me faudrait la contraindre au désir, la forcer aux exigences du petit matin sur la plage, de la brise tiède du soir, qui libère dans l'air le parfum entêtant de l'eucalyptus. Oui, il me faudrait lui enseigner la confiance, l'abandon, la belle trahison de l'oubli. Mais elle ne voudra jamais. »

— Je sais à quoi tu penses. Pis t'as raison. Tu serais jamais venu à bout de ce que t'appelles mon épouvante. Rien ni personne, pas même ton père, toi encore moins, était capable d'accomplir ce miracle-là. Que c'est que tu veux, chus née peureuse comme d'autres viennent au monde borgnes ou manchots, ou encore la jambe achevée d'un sabot de percheron.

Versais-tu une vraie larme, souriais-tu dans la

buée d'un vrai regret, tard venu mais sincère ? Comment savoir ?

— T'apprendras que j'accrochais pas sans raison des rideaux à nos fenêtres ! Les voleurs, les malfaiteurs...

Et ça repartait : les voleurs, les malfaiteurs, la méchante curiosité des voisins, encore hier soir la voiture noire qui s'était arrêtée sous ta fenêtre, portières grandes ouvertes, les cris, les bouteilles de bière éclatant contre le mur de ta chambre « comme des coups de carabine, jusqu'à la barre du jour ».

Ces soirs-là, je te quittais, comme tu disais, « sans charité », et avant de rentrer en ville, je roulais jusqu'à notre vieille maison, où vivaient à présent de parfaits étrangers, pour apercevoir, dans la lueur des phares, les volets grands ouverts, encadrant des fenêtres où nul rideau ne volait.

À deux heures de l'après-midi, tu t'enfermais dans ta chambre – tu disais toujours « ma chambre », même si papa et toi avez toujours partagé le même lit –, prise soudain « d'une fatigue mortelle ».

— Aujourd'hui, j'ai quatre-vingt-dix ans ! Aussi ben dire que chus morte ! Si jamais j'me réveille pas, y a du pâté chinois dans le frigidaire, que chus sûre que vous allez avaler goulûment, même si chus pus de ce monde !

J'entendais les persiennes grincer, les tentures coulisser, les tiroirs s'ouvrir, se refermer, s'ouvrir encore. Assis sur la marche la plus basse de l'escalier, je consultais ton horoscope dans le journal du matin, histoire de tenter d'apprendre quel astre mal aligné t'obligeait à cet échouement de carpe hors de la rivière, et en plein jour, dans la nuit artificielle de ta chambre. Je souhaitais et craignais en même temps que tu m'appelles. Tes remuements de revenante ne me disaient rien de bon. À mon tour, j'éprouvais une espèce de faiblesse, une imbécillité inaccoutumée, un engourdissement jumeau du tien. Je pensais : « Et si c'était pas la bouteille de gin, mais un flacon de poison, ou ses ciseaux de couturière, qu'elle cherche à dénicher, au fond d'un tiroir ? » Je te voyais en finir, abêtie par tes petites pilules roses, ou bien transpercée par la grande lame des ciseaux, sagement étendue sur votre lit, ta face de sainte au bout de son martyre auréolée de sang. Je me levais d'un bond et, endormi toujours, marchais jusqu'à la porte, y collais l'oreille. Je ne croyais plus mon cœur, qui continuait à cogner comme si de rien n'était. Et c'était comme dans un rêve que je t'entendais prononcer, d'une voix inexplicablement claire et proche :

— On n'écoute pas aux portes, ça porte malheur !

Mon sang remontait d'un coup. Il n'était pas trop tard ! Il me suffisait de tourner la poignée et d'allonger trois pas jusqu'à toi pour t'arracher des mains le flacon assassin, les ciseaux matricides. Mais j'étais sans volonté, crucifié sur la porte de ta chambre.

— Tu peux rentrer, écornifleux ! Je l'ai trouvé !

Je m'exécutais, l'âme dans les talons. Tu étais assise, bien droite, sur le vieux pouf qui avait appartenu à ta mère – « son trône de duchesse des Pays d'en Haut » –, une grande boîte ronde posée sur tes genoux.

— Approche ! Si on dirait pas que j'vas sortir de c'te boîte-là un rat mort, ou ben mon testament, qui va t'apprendre que je te laisse rien d'autre que le linge que t'as sus le dos !

Tu souriais, promenant une main caressante sur la drôle de boîte, ficelée d'un ruban de dentelle d'un rouge qui avait fait son temps. Je m'agenouillais à tes pieds et tu ouvrais la boîte, affichant un air de cérémonie que je ne te connaissais pas, les yeux écarquillés, tes lèvres grimaçant un grand sourire de trouveuse de trésor. J'étirais le cou : au fond de la boîte gisait une espèce de demi-chapeau blanc, perlé de pierres du Rhin, garni d'un petit carré de tulle imitant à s'y méprendre la dentelle ajourée du rideau de notre salon. J'ai marmonné :

— C'est quoi ?

— Ben, un chapeau, tu le vois ben !

— Plutôt une moitié de chapeau.

— Niaiseux ! C'est mon chapeau de noces !

— C'est de la dentelle, ça, là ?

— Touche pas ! C'est de la guipure ! Pis c'est fragile comme de la toile d'araignée !

— Tu vas le mettre sur ta tête ?

— Es-tu fou ?

— Pourquoi ?

— C'est pas un chapeau, c'est un souvenir.

— Un beau souvenir, au moins ?

— Oui pis non.

— Comment ça ?

Tu t'es redressée et tu as fermé les yeux. Puis tu t'es adressée non pas à moi, mais au rayon de soleil qui traversait la chambre, par une fente de l'épais rideau :

— Mon père avait loué un boghei pour se rendre à l'église. Un bel attelage, mené par deux grands chevaux blonds. Je sais pas le diable où y avait emprunté cet attirail-là.

— Au père Lauzon ?

— Le père Lauzon vivait pas encore dans le village dans ce temps-là. Pis à part de ça, si tu veux que je conte, laisse-moi conter, pour l'amour !

Je ne demandais pas mieux : non seulement tu vivais toujours, mais tu rayonnais comme un soleil dans la pénombre de la chambre.

— Sauf qu'y ventait, ce samedi-là, à écorner les bœufs ! On était pas à moitié du chemin qu'un coup de vent m'a arraché le chapeau que tu vois là de sus la tête, pis l'a envoyé revoler dans une talle de mûriers, au bord du chemin des Anges ! T'aurais dû voir ton grand-père s'enfoncer, dans son beau costume de lin blanc, dans les branches pleines d'épines, pis essayer de déprendre sans l'écrabouiller mon beau chapeau ! Y s'étirait d'un bord pis de l'autre, dansait comme le gigueux sus le bout de ses pieds, disparaissait dans le feuillage comme dans un puits en criant comme un perdu, ressortait des ronces mortelles en branlant la tête comme un pantin de carnaval ! J'ai tant et tant ri que je me suis avancée jusqu'à l'autel, le chapeau déglingué sus le coin de la tête, riant toujours comme une folle !

Tu en riais encore et moi avec toi. Mais tu t'es arrêtée sec quand je t'ai demandé :

— Pourquoi alors c'est un plus ou moins bon souvenir ?

— Ça, c'est une autre histoire ! Pis si ça te fait rien, ce sera pour une autre fois, comme tu me dis si souvent. Si jamais j'me décide à te la conter !

— Pourquoi pas tout de suite ?

— Ton père, vois-tu...

— Quoi, papa ?

— Non.

— Dis-le !

Je t'ai si bien secoué le bas de la jupe que tu as baissé sur moi deux yeux d'où toute gaîté s'en était allée.

— J'aurais pas dû marier ton père. Le beau chapeau déchiré, c'était un avertissement, pis je l'ai pas vu. C'était un signe, pis je l'ai manqué.

— Un signe de quoi ?

— C'est pas la faute de ton père. Le pauvre, y fait son gros possible. Seulement...

— Seulement, quoi ?

— J'étais pas faite pour cette vie-là.

— Quelle vie ?

— Comme si tu savais pas !

— Quelle vie, Maman ?

— La mienne, la tienne, la nôtre !

— Je comprends pas !

— Ben, c'est que t'es plus gnochon que j'pensais ! À part de ça, t'as pas des devoirs à faire, toi ?

Tu as refermé la boîte comme on remet le couvercle sur le chaudron en feu et tu m'as chassé à grands coups d'oreiller, sanglotant et ricanant à la fois. Pile et face de la même médaille, envers et endroit de la même page indéchiffrable. Tu me plantais là, avec mon os à ronger.

Difficile de croire que le demi-chapeau de dentelle ait un jour été fait prisonnier par un buisson de ronces : il paraissait tout neuf, comme s'il sortait du magasin.

Je filais au galop dans mes phrases et voilà que depuis trois jours plus rien ne vient. Tu t'es de nouveau enfermée quelque part, sans doute occupée à machiner tes effets, à t'éclaircir la voix, à la lisser de larmes neuves. Excitée mais patiente, tu prépares minutieusement ta réapparition en glorieuse héroïne entravée, mets au point ton sourire désenchanté, ta grimace narquoise, ton coup d'œil dévastateur. Tu t'exerces à la jonglerie morose, à la saillie désopilante, à dix notes d'une chanson sans commencement ni fin, prépares ta tirade de menteuse qui dit la vérité. Bref, tu fignoles ton plan de réattaque.

Du coup, je suis bien tenté de mettre le feu à ces pages, où déjà ton omniprésence éclate. L'à-quoi-bon me rattrape, le tétanisant « pourquoi », le sournois soupçon que mes mots ne seront pas à ta hauteur. Au lieu de jeter de l'huile sur ton feu, je ferais mieux de porter les yeux ailleurs, de tenter de saisir la perche que me tend le petit matin d'aujourd'hui, qui, le chanceux ou le malchanceux – qui le dira ? –, ne te connaît pas.

Tu resurgis, contre toute attente, dans un numéro de comédie, apparemment sans conséquence.

Nous sommes assis, tous les deux, à nous balancer sur la galerie, quand une grosse voiture ralentit devant la maison. Nous savons que papa attend la visite d'un client qui doit lui apporter du travail. Je ne sais pas quelle mouche te pique : tu te lèves de ta chaise comme une zombie, dévales les marches et t'avances dans l'allée en direction de la voiture, qui roule toujours. Les mains en porte-voix, tu cries :

— C'est ici ! Oui, oui, c'est ici !

La voiture freine et en sort un monsieur de belle allure, costume du dernier chic, chapeau flambant neuf, lunettes de soleil. Tu t'approches de lui comme Grace Kelly du prince de Monaco, te pends câlinement à son bras et lui déclare, d'une voix délurée, pointue, que je ne te connaissais pas :

— Faites pas votre gêné comme ça, voyons ! Je vous attendais ! Y a de la bière dans le frigidaire pis des sandwiches de fantaisie sur la table, faites en matin de mes blanches mains !

Errol Flynn se déchausse de ses verres fumés et baisse sur toi un regard parfaitement éberlué, qui pourtant ne te réveille pas de ta lubie. Grimpant les marches, toujours à son bras, branlant la tête à la manière de l'enjôleuse qui a plus d'un tour dans son sac, tu me cries :

— Va chercher ton père !

L'élégant aussitôt lâche ton bras, dévale à reculons les marches et s'affale dans ta plate-bande de narcisses. Tu éclates de rire. Papa surgit soudainement dans la porte. Errol Flynn se relève aussitôt, son beau costume moucheté de jus d'herbe. Les deux hommes se toisent comme s'ils allaient se sauter dessus et se défigurer à coups de poings dans l'allée. Tu ne te démontes pas pour autant.

— Mais serrez-vous la main ! Que c'est que vous attendez !

Les mains sur les hanches, papa exécute trois pas chaloupés en direction du vilain séducteur. On entend piailler la grive dans un silence à trancher au couteau. Puis papa lance, d'une voix que la colère baisse de trois tons :

— Qui c'est que vous êtes, pis que c'est que vous voulez ?

Alors seulement tu sors de ta chimère, pousse un cri et disparais dans la maison, la jupe dans tes poings. Dans une tranquillité de samedi saint à l'église, on entend claquer la porte de ta chambre, puis des gloussements, des roucoulements et enfin un hennissement à donner le frisson et qui fait déguerpir Errol Flynn.

Tu ne reparais qu'au beau milieu de la soirée, les bigoudis sur la tête, ta robe de chambre boutonnée jusqu'au cou, les mains en croix sur ton cœur, l'œil allumé par une étincelle assassine. Après nous avoir examinés, papa et moi, de pied en cap, sans oublier le plus mince pli de pantalon, le plus petit bouton de chemise, tu déclares solennellement :

— Faites-moi encore une affaire de même pis je vas m'enfermer au couvent avec Délima pour le restant de mes jours !

— T'arrivais du collège, le dimanche matin, ta maudite petite valise au bout du bras – j'*aguissais* c'te valise à me lever la nuit pour lui crier des bêtises ! – bourrée de culottes crottées pis de chemises tachées d'encre, qui me prenaient toute la journée à laver pis à repasser. Tu t'écrasais comme un assommé sur la première marche de l'escalier pis tu chialais comme un veau. « Vous voulez vous débarrasser de moi ! Pourquoi ? Que c'est que je vous ai fait ? C'est pas juste ! » Ton père était parti chasser. On l'entendait tirer, loin dans la petite baie. Mais on aurait dit que c'était toi qui recevais la balle en plein cœur. Tu te pliais en deux, tu poussais des hurlements d'étranglé pis tu t'affalais raide mort au pied des marches. « Arrête avec ça, veux-tu ! », que j'te lançais. Je savais pas quoi dire, quoi pas dire, quoi faire, quoi pas faire. Je comprenais pas, j'te comprenais pus. J'avais le cœur dans le gorgoton. J'avais beau sortir ma tarte à ferlouche du frigidaire – j'avais passé deux heures à rouler ma pâte pour qu'elle soit comme tu l'aimais, tendre par en dessous, croustillante sus le dessus –, tu bronchais pas, tu restais étendu au pied des marches. On aurait dit que t'avais peur que j'aie mélangé de la mort-aux-rats avec le suif pis le raisin…

— Arrête, Maman, c'est assez !

— Assez ? Avec toi, c'était jamais assez ! T'as toujours eu les yeux plus grands que la panse !

— C'est ça !

— Comme de raison que c'est ça !

— T'arranges ça comme tu veux, hein ?

— J'arrange rien pantoute ! Ton père pis moi, on s'est saignés à mort pour te faire instruire ! Pis toi, roulé en boule sur le plancher comme le chien qui a avalé une cochonnerie, tu m'abîmais de bêtises ! Comme si tout ça était de ma faute !

— Comme tu dis : « si le chapeau te faisait… »

— C'est loin tout ça, pis c'est comme si c'était hier. Hein ? Comment ça, si le chapeau me faisait ? Fais ben attention de quel chapeau tu parles, mon garçon !

— Comme disait papa : « Je savais que tu savais que je savais que tu savais. »

— T'as pas idée de ce que la folle de la chambre d'à côté m'a dit, en matin ? Tu sais, celle qui est *témoine* de Jéhovah pis qui demande à ses deux beaux petits enfants de quêter de porte en porte, pendant qu'a se prélasse dans son lit, en faisant semblant de se mourir d'un cancer du cerveau, pis qui sacre à tous les soirs son mari dehors à grands coups de poings pis de pieds, comme un malfaiteur ? Un monsieur si gentil ! Faut-y être sans-cœur rien qu'un peu ! Ben, a m'a dit : « Les secrets les plus effrayants sont ceux qu'on invente ! »

— Pas si folle que ça, la bonne femme !

— Encore une fois, t'as l'air, mais pas la chanson !

Tu avais raison : ce soir-là, j'embrouillais tout. En somme, je faisais comme tu m'avais appris : je lançais en l'air le doute, le regardais planer comme un épervier en chasse, survoler le lit, le chesterfield, avec nos deux corps dessus, la télévision que tu n'allumais jamais. Je laissais comme ça le temps passer, le méchant désir de parler s'estomper. Et puis je me remettais à te donner la réplique, dans ta chronique du tragique et bouffon jour le jour qui, pour sûr, ne manquait pas de catastrophes, chicanes, paroles apparemment lancées en l'air, mais qui avaient sournoisement raison de la raison et pouvaient conduire au pire. Les autres, toujours, se conduisaient en fous, en « imbéciles jos-connaissants », négligeant dangereusement l'oreille tendue derrière la porte, le regard sournois du petit à quatre pattes sous la table, l'œillade soupçonneuse du laitier qui s'attarde un peu trop sur la galerie. Oui, pour toi tous les secrets s'éventaient, un jour ou l'autre, et pour cause : les autres ne faisaient pas assez attention, à tout bout de champ ils s'échappaient. Fort heureusement, tu étais là pour voir et entendre et pour tirer tes conclusions. Tous les secrets, sauf le mien, le nôtre, dont il ne fut jamais question qu'en paraboles sibyllines, entre deux mordées dans la chair imprudente de la cousine, de l'oncle, de la voisine, du bedeau, du petit neveu malfaisant, déguisé en enfant de chœur.

— Ah, pis va-t'en donc ! Tu meurs d'envie de me planter là, avec mes histoires que tu connais comme le fond de ta poche pis qui te mettent le cœur dans l'eau ! De toute manière, à soir, chus fatiguée à me laisser mourir !

Je te plantais là et dévalais l'escalier, pour apercevoir ceux que tu nommais tes « compagnons de misère » et qui jouaient aux cartes, dans le grand salon éclairé au néon, piquant du menton par-ci, clignant des yeux par-là, comme étonnés d'être toujours vivants, assis devant un as de pique ou un roi de carreau qui les narguait sans les émouvoir.

Au pied du sapin, à chaque Noël, la même antienne crucifiante.

— C'était pas nécessaire.

— Mais ouvre, ouvre le paquet !

— T'aurais pas dû. T'as pas les moyens, je le sais.

— C'est pas grand-chose, tu vas voir.

— N'empêche.

— Ouvre, pour l'amour !

Tu posais la boîte sur tes genoux, la soulevais, la soupesais, la tâtais. On aurait dit qu'il pouvait en sortir aussi bien une rivière de diamants qu'un poignard ruisselant de sang.

— Qu'est-ce que c'est ?

— Si je te le dis, ça sera pas une surprise !

— C'est sûrement pas toi qui l'as enveloppé. C'est ben que trop beau, ce papier-là ! Pis regarde-moi donc c'te beau ruban frisé là !

— Ouvre donc !

Tu passais et repassais tes mains sur le papier trop beau, le lissais, le caressais, frôlais d'un doigt craintif le faux satin du ruban, comme si le vrai présent, c'était ça : du papier scintillant bon marché, ficelé d'un falbala de tissu synthétique. Tu levais sur moi un regard à la fois de jeune fille folle d'espérance et de vieille femme que rien ne peut plus étonner. Et tu attendais. Je criais :

— Donne, je vais l'ouvrir pour toi !

— Non, non !

Les yeux embués, tu ne te préparais ni à l'éblouissement ni à la déception : tu mettais au point l'émotion qui te semblait appropriée. Laissant tranquillement monter tes larmes de fausse joie, travaillant minutieusement un semblant de sourire ravi, tu t'apprêtais à mimer à la perfection un contentement et une reconnaissance que tu voulais d'avance exemplaires, mais que tu n'étais pas sûre encore d'être capable d'éprouver, au moment voulu. Je m'impatientais, persuadé que depuis longtemps tu savais ce que contenait la trop jolie boîte – tu m'avais de nombreuses fois désigné ce que tu voulais pour Noël –, et finissais par déchirer d'une main profane, on aurait dit vengeresse, le beau papier qui te faisait pleurer « pour de vrai ».

— J'vas la mettre pour la messe de minuit ! Avec ma vieille jupe verte, que j'ai raccourcie encore une fois, pis ma blouse en *puffy de cercueil,* la petite épingle va être de toute beauté !

— Maman !

— Quoi ? C'est pas la petite broche que je t'ai montrée dix fois, dans la vitrine de M. Lafrance ?

Tu faisais si bien semblant d'être dévastée par les yeux que je te faisais que je finissais par fourrer la broche en question – une pauvre fleur de pierres du Rhin, montée sur un lacis de broche en forme de feuille – dans la poche de ton tablier, où tu la cueillais aussitôt comme la fée une goutte de rosée transformée en pépite d'or par le soleil du matin. Et tu me souriais dans une brouillasse de larmes qui achevait de m'enrager noir.

— Qu'est-ce que t'as, donc ? J'suis contente ! J'suis vraiment contente ! C'est ben celle-là que je voulais, pas une autre ! Pis tu me l'as achetée ! Avec l'argent de ton père, c'est vrai, mais quand même.

— Arrête ! Arrête tout de suite !

— Arrêter quoi ?

— Ton cirque !

— Quel cirque ? Tu prends toujours ben pas ta mère pour une girafe, ou pire, un hippopotame !

— Ah !

— Bon, bon, bon ! T'as rien qu'à aller la rapporter chez le bijoutier, si tu trouves que je la mérite pas !

— Tu sais très bien que c'est pas ça !

— Ben, c'est quoi ? Seigneur, si on dirait pas que j'ai commis un crime, moi, là !

J'avais déjà les bottes aux pieds et le manteau sur le dos. Mieux valait arriver en avance à l'église, où m'attendaient l'aube rouge et le surplis blanc qui me donnaient « l'air d'un ange mal peigné », que de subir ce qui ne manquerait pas de suivre : ta déambulation de vedette bafouée dans la cuisine, la misérable broche abandonnée sur le comptoir, ta main tremblante cherchant et trouvant la bouteille de gin, soigneusement enveloppée dans un linge à vaisselle, sous l'évier.

Au premier grondement de l'orgue attaquant le *Minuit, chrétiens*, tu abordais notre banc d'un pas incertain mais soumis, la broche agrafée à ton corsage. Tu t'agenouillais avec une humilité approximative, désespérante à voir et, te penchant sur mon épaule, chuchotais :

— T'as vu comme il étincelle, ton beau cadeau !

On ne pouvait rien t'offrir. Recevoir t'humiliait, t'offensait. Tu n'as jamais accepté – et encore, de mauvaise grâce – que ce que tu avais voulu, demandé, exigé. Ni papa ni moi ne faisions partie de ce que tu avais voulu, demandé, exigé. Alors tu faisais semblant : tu déballais d'une main inquiète, soupçonneuse, hypocrite, tout présent, tout cadeau, toute gentillesse. L'amour, forcément hésitant, malhabile, te paraissait suspect, trop beau pour être honnête, trop gracieusement offert pour être sincère.

— L'amour ! Misère ! Y s'en est-y assez commis des crimes pis des massacres au nom de c'te p'tit grand mot là !

L'été de mes dix-sept ans, je dormais « comme un mort », disais-tu, faisais « le tour de l'horloge » quasiment toutes les nuits. C'était ma manière d'oublier, de te désapprendre, de t'être infidèle. C'était ça ou descendre avec toi dans la salle d'attente bourrée à craquer d'âmes en sursis, psalmodiant, à ton signal : « On vient de nulle part, on va nulle part, pis le temps est long ! » Toi, tu ne dormais pas, tu « tenais sur les nerfs », te « mettais en quatre » pour la moindre corvée, exécutais la plus insignifiante des tâches comme si le jour qui commençait exigeait un sursaut, le dernier, et que tu devais tomber raide morte avant le naufrage du soleil dans la fenêtre de la cuisine.

— Chus morte pis mon ménage est pas fait ! La maison est une soue à cochons ! En matin, le barda est au-dessus de mes forces !

— Je vais t'aider.

— Y manquerait plus que ça ! Tu sais ni balayer ni frotter ni laver ni étendre ! Tu sais juste rêvasser, la bouche ouverte, un de tes maudits livres couché sus le ventre, comme si c'était pas tes yeux mais ton nombril qui allait épeler les mots !

— Laisse-moi au moins essayer !

— Pour que t'étales la crasse sur les murs avec ton torchon, comme la dernière fois ? On aurait dit que tu lavais pas mais peinturais la cuisine en beau jaune caca d'oie ! J'ai passé ben proche toute la journée à essuyer les coulisses brunes de ta belle ouvrage !

— Mais…

— Pas de mais ! Va dormir encore un peu, tiens, pour faire changement. Ou va rêver au bord de l'eau. Mais débarrasse ! Mon martyre va être plus endurable si je t'ai pas dans mes pattes !

Je remontais l'escalier comme le prisonnier regagne sa cellule, m'allongeais en croix sur mon lit et t'écoutais trimer à tour de bras, maudire la maison sur tous les tons, t'en prendre à la moppe effilochée, à l'eau trop chaude ou trop froide du robinet, au chaudron percé, à la poêle gondolée, à la chaleur d'enfer qui te faisait « suer comme une vache », au chien qui « semait son maudit poil puant aux quatre coins de la cabane » et, bien sûr, à moi, qui faisais le mort, là-haut, « étendu comme un prince de conte de fées, pendant que sa négresse de mère besogne à nettoyer ses saloperies ! ».

Je ne m'endormais pas tant que je perdais connaissance, au beau milieu de ton train d'enfer, à l'écoute d'une voix inconnue, qui pourtant devait être la mienne, chuchotant au creux de mon oreille : « Cher abandonné, cher orphelin, quelqu'un viendra, qui t'emmènera loin, très loin d'elle et de la soue à cochons. » Je ne me disais pas : « Mais que va-t-il advenir d'elle ? » Je m'en balançais « comme d'une vieille galoche désemellée ». Je m'enfuyais, j'étais déjà parti.

À la brunante, je redescendais, accueilli par un plancher brillant, des fenêtres étincelantes, des murs immaculés et mon souper sur la table. Tu n'étais nulle part en vue. Papa fumait, appuyé au poteau de la galerie. Je le rejoignais. Il lançait d'une pichenette sa cigarette dans l'herbe, posait sa main sur ma tête et disait, le sourire en coin :

— C'est fini. Pis ta mère est « archi-morte », comme de raison.

— Elle est où ?

— Chez Viviane, chez Jeanne, ou encore chez Annette, à conter son supplice.

— Ça te fait rien, à toi, tout ça ?

— Quoi, tout ça ?

— Tout ça, elle, ses fureurs !

Papa lâchait un ricanement plus triste que la plainte de la tourterelle dans l'érable et disait :

— Faut ben rire, sans ça ce serait pas drôle.

Après la messe, un matin de mai de mes seize ans, où la belle Pauline, qui touchait l'orgue « comme un ange », t'avait fait pleurer à chaudes larmes du *Kyrie* au *Sanctus* :

— Pourquoi t'as laissé tomber ta musique ?

— Aurais-tu aperçu un piano, toi, par hasard, ici-dedans ?

— Un piano, ça s'achète !

— Avec quel argent, peux-tu me le dire ?

— Pis le piano des sœurs, dans le sous-sol de l'école ?

— Tu me vois descendre dans une cave sans fenêtres, pour bûcher comme une folle sur un clavier désaccordé ? Tu me vois faire mes gammes, essayer de retrouver une valse perdue dans la nuit des temps pis écorcher les oreilles des élèves occupés à trimer sur une dictée ou un problème de géométrie, avec mes dièses pis mes bémols à moitié oubliés ?

— Pourquoi pas ?

— Tu connais mal ta mère, mon garçon ! Pis à part de ça, tu vois pas mes mains, tordues, déformées par les lavages, les repassages pis les frottages ?

Regarde les gros nœuds de mes jointures ! C'est pus des mains, c'est des battoirs de bûcheron !

— Il est jamais trop tard !

— Patati, patata ! La musique, c'est comme le barda, ça attend pas !

— Mais t'arrêtes pas de répéter que tu t'en ennuies à mourir !

— Pis c'est mauditement vrai ! Je donnerais tout ce que j'ai, même si c'est pas grand-chose, pis tout ce que j'ai pas pis qui remplirait trois fois la cour de ton école, pour promener sur les touches d'un vrai piano mes doigts fins d'autrefois, effilés comme mes aiguilles à tricoter, pis qui savaient par cœur aussi ben les deux *Ave Maria* que la rengaine swignante du charleston ou du boogie-woogie !

— Moi, à ta place…

— T'es pas à ma place ! T'es loin d'être à ma place, mon pauvre enfant ! Toi, t'as devant toi l'éternité ! T'es encore au pied de la côte, tandis que je la déboule à cent milles à l'heure !

— T'exagères ! T'exagères tellement !

— T'as ben des croûtes à manger avant de comprendre ça, laisse-moi te le dire ! Mais tu perds rien pour attendre ! Quand ta belle jeunesse finira d'un coup sec, tu vas t'apercevoir qu'elle a pas duré plus longtemps que la récréation dans ta cour d'école ! Pis t'en finiras pus de l'appeler, de la supplier de te revenir, ton cœur ratatiné dans sa cage comme un petit pinson à moitié mort !

— Pauvre sainte martyre !

— Commence par vieillir, une année à la fois – aussi ben dire une minute –, pis tu m'en donneras des nouvelles !

Tu te levais de ta chaise berçante comme une paralytique, gagnais la cuisine d'un pas traînant. Je te suivais, déterminé à te pousser à bout, mais m'arrêtais sec en t'apercevant devant la fenêtre, occupée à te frotter les mains avec la violence désespérée de la femme de Macbeth, acharnée à faire disparaître la tache de sang indélébile au creux de sa paume.

— Ah, pis c'est moi qui exagère ! On aura tout entendu !

D'outre-tombe, ta voix me corrige, puis tout de suite vocalise, en sourdine :

— *Papillon, tu es volage*
Tu ressembles à mon amant
L'amour est un badinage
L'amour est un passe-temps…

C'est là qu'elle s'était réfugiée, ta musique : dans ta voix, qui avec les années ne changeait pas, ne vieillissait pas.

— Je m'adonne tellement mieux avec ton père depuis qu'y est parti.

— Ça lui fait une belle jambe, ça, à papa!

— Ton père me comprend, inquiète-toi pas.

— T'es sûre de ce que t'avances?

— Comme de la neige qui tombe, là, dans la fenêtre! Vois-tu, ton père me parle, enfin!

— Tu veux dire que tu l'entends, que tu l'écoutes enfin!

— On pourrait dire ça comme ça. De toute manière, tu peux pas comprendre.

— Encore une fois!

— Ben sûr, encore une fois! Toi, tu t'imagines que les gens meurent pour de bon, qu'y partent pour de vrai quand y nous lâchent. Ton père a jamais disparu, tu sauras. En tout cas pas plus longtemps que quand y se sauvait de la maison pour aller tirer ses canards ou jongler en prenant sa marche au bord de l'eau. Y revient. Y est toujours revenu. Pis y me parle. Pis je l'écoute. Quarante années qu'on a passées ensemble! C'est pas beaucoup, mais c'est assez.

— Assez pour quoi ?

— Assez pour démêler la laitue de l'ortie...

— ... le vrai du faux, les menteries des demi-vérités, l'enragement de la folie douce, et patati ! et patata !

— Tu peux y aller ! Les mots, c'est ton affaire. Ton père, lui, parlait pas. Y souriait en coin, ou ben me faisait ses gros yeux, m'attrapait tout d'un coup le bras, la main, l'épaule pour arrêter le mal, sacrait son camp quand le torchon brûlait, retontissait sur le bout des pieds, deux canards morts sur une épaule, ou un gros doré dans sa puise. C'était fini. La tempête était passée. Rien qu'à voir son grand air de coureur des bois débarrassé du pire comme du meilleur, je prenais mon trou. Pis on continuait comme si de rien n'était.

— Oui, oui !

— J'te le dis ! Pis lui aussi te le dit ! Y me l'a dit pis m'a demandé de te le dire !

— Veux-tu bien m'arrêter ça !

— Un mort, ça parle pas comme toi pis moi. Ça murmure, ça chuchote, ça fait oui ou non de la tête, comme au ralenti, ça prend son temps. Un mort a tout son temps. Ça sait qu'on aura beau crier, brailler, faire des grands sparages, comme avant, c'est pas ça qui va nous déprendre de lui. Pis à part de ça, c'est pas de tes affaires ! C'est entre lui pis moi, un point c'est tout !

Tu fermais les yeux, comme au théâtre, où tu

n'es à peu près jamais venue me voir, tombe le rideau : tu ne dirais pas un mot de plus, c'était ton affaire, votre affaire. Ton secret, votre secret, le plus beau de tes mystères et que tu comptais bien emporter dans ta tombe. Je restais là, assis devant toi, à veiller la morte tranquille que tu étais subitement devenue. Je t'enviais, alors. J'enviais ton tête-à-tête tardif, inespéré, avec papa, qui s'obstinait à se taire, même dans mes rêves, me forçant à faire tout seul les questions et les réponses. Avec moi, papa ne murmurait pas, ne chuchotait pas, ne hochait même pas la tête. Et s'il m'attrapait le bras, la main, la nuque, c'était pour un contentement noir que je voulais et ne voulais pas et que j'arrêtais d'un cri avant l'essoufflement final.

— Ton père était un homme bon, même quand y l'était pas. C'est pas un si grand mystère que ça, tu sais. Attends encore un peu, pis tu vas voir !

Pour une fois, tu disais vrai. À propos de papa, du temps, d'une bonté, d'un amour très tard venu. Et aussi à propos d'une manière d'espèce de sorte de pardon qui, tout en n'effaçant rien, changeait tout.

Je tombe par hasard sur cette photographie, glissée je ne sais quand entre les pages d'un livre qui date d'avant ma venue au monde et que papa avait baptisée « ma cargaison de belles peureuses » : tes six sœurs et toi, en maillot de bain, le chapeau de paille enfoncé jusqu'aux oreilles, les mains agrippées aux montants de la chaloupe, comme si d'une seconde à l'autre l'embarcation allait couler corps et biens. Papa d'une main tient le manche du moteur et de l'autre vous désigne, d'un grand geste de montreur de tours : « Voici, rassemblées dans mon bâtiment, les sept divas les moins emmenables en pique-nique du comté ! » Tu es assise dans la pince de la chaloupe et tu grimaces un rictus de future noyée qui fait plaisir à voir. Tu es très belle, comme ça, en figure de proue. Le soleil joue sur ton visage, le vent te caresse les épaules. Tu parais résolue à dompter moutons et grosses vagues, quitte à disparaître dans le courant, avec la grâce surnaturelle d'une ondine.

Quand il m'arrivait de pointer le doigt vers la photo, dans l'album, et d'échapper ce que tu appelais ma « petite risée malicieuse », tu t'écriais :

— C'est ça, ris, ris donc tout ton soûl ! Pauvre innocent pas plus fin que son père ! Si mes sœurs pis moi on s'était noyées, ce jour-là, tu serais pas là aujourd'hui – pas que ce serait une affaire effrayante ! –, ni tes cousins ni tes cousines non plus !

— Ben, voyons, Maman, y avait pas de danger ! Regarde, le lac est lisse comme un miroir !

— Pis si le vent avait tourné ! Si l'eau s'était enragée tout d'un coup ? Rien que d'y penser, j'ai le cœur qui s'arrête !

Tu refermais l'album comme on rabat sur le visage de cire du mort le couvercle de son cercueil.

Pourtant, sur la photo, tu affiches au grand soleil une vaillance affolée, quasiment triomphale, qui, ce matin encore, me fait rire malgré moi.

— Oui, j'ai été belle. J'imagine. En tout cas, y en a certains qui le disaient. Mais moi, j'le savais pas. J'me voyais pas. Dans le miroir, ça compte pas : on se voit pas, on se regarde même pas, on zyeute ce qui dépasse, ce qui retrousse, ce que les autres risquent de remarquer, le menton en l'air. Et pis j'étais trop occupée à frémir, à trembler, à voir s'amener le pire à tout bout de champ, pour penser à de quoi j'avais l'air. Pis c'est toujours ben pas ton père…

— Achève !

— Fais-moi pas parler, tu le regretterais !

Levant la tête, j'apercevais papa dans le cadre de

porte, les bras tachés de couleurs, la casquette sur le coin de la caboche. Étirant les lèvres pour réussir ce que tu nommais son « maudit *smile* à la Clark Gable », il t'achevait en douceur :

— Une p'tite promenade en chaloupe, ma femme ?

— Lâche-moi, toi, maudit escogriffe !

Papa riait, je grimaçais dans ma jeune barbe et tu hochais la tête, dans un grand non raide, solennel, qui voulait dire : « Je suis au-dessus de tout ça, au-delà de votre aveuglante bêtise. Je suis surtout, dans mes frousses, dans ma folie, dans ma grande faiblesse de femme, infiniment plus forte que vous autres, pis vous saurez me le dire, pas plus tard que tout à l'heure ! »

Tout l'après-midi, tu t'acharnais à passer une robe, une autre, la jaune, la bleue, ta jupe verte, la rouge, une blouse blanche, une rose, ton pantalon « fuseau », nouais à ton cou le seul foulard que tu aimais – des nymphéas violets sur un fond d'azur –, coiffais un chapeau mou, ta « capuche de nonne », un panama jaune avec un large ruban aubergine, qu'aussitôt tu arrachais de ta tête et lançais sur le lit, chaussais tour à tour tes trois paires de souliers à talons hauts, puis tes « mules de papesse », les envoyais valser dans la penderie, et finalement t'avançais, pieds nus, en jupon de satin crème, vers le miroir, où tu examinais avec une morgue royale ta silhouette décidément incostumable. Papa criait, du salon, son éternelle chemise à carreaux sur le dos – son « froc de bûcheron » que tu détestais tant :

— Y doivent être rendus au dessert, certain ! Grouille !

Tu mugissais, la voix étranglée par les sanglots :

— Y a pus rien qui me fait !

— Ça n'a pas la plus petite maudite importance ! Grouille !

— Vas-y tout seul !

— Non !

— Oui !

Papa, d'un coup de genou, enfonçait la porte. Tu étais allongée sur le lit, gisante en jupon de dentelle, ton beau foulard autour du cou comme un nœud coulant, les poignets cerclés de bracelets, bordée de tes « vieilles guenilles bonnes à donner aux pauvres », ton visage de pietà mouillé de larmes. Papa beuglait :

— Veux-tu ben me dire !

— Va-t'en ! Allez-vous-en ! Chus pas montrable !

— Mais c'est toi qui voulais aller à ce maudit souper là !

— Chus tout étourdie, j'ai mal au cœur, chus peut-être enceinte, ou ben j'vas mourir, je le sais pus trop, ça fait qu'allez-vous-en, pour l'amour !

— Arrête ça tout de suite ! Je t'attends sur la galerie !

La porte claquait. Tu ne bronchais pas. Je m'approchais du lit, tendais précautionneusement la main vers toi.

— Touche-moi pas !

Je balbutiais :

— Viens donc, Maman, y nous attendent chez ma tante Annette.

— Pour aller faire rire de moi par mes sœurs habillées de soie et de velours, déguisée en duchesse de carnaval du rang croche, merci beaucoup !

— Mets ta robe verte, c'est ta plus belle.

— J'vas ben vite la déchirer pour en faire des torchons, ma sautadite robe de Cendrillon !

— La jaune soleil, d'abord !

— Jaune pisse de chat, tu veux dire !

— Maman, pour l'amour !

— Quel amour ? Quelle maman ? Chus pas un amour ni une maman, chus juste une servante, une bonne à tout faire, une frotteuse, une repasseuse, une décrasseuse, une faiseuse de tartes, pis ça s'arrête là !

— Voyons donc !

— Va-t'en ! Laisse-moi tu-seule ! J'suis grosse, j'suis maganée, j'ai pus rien à me mettre sus le dos ! Ça fait que sacre-moi patience !

Une heure plus tard, un coup de sonnette chez tante Annette interrompait papa, occupé à t'inventer vaille que vaille un gros mal de tête, un subit coup de chaleur, et brusquement la porte s'ouvrait sur Michèle Morgan, toute de noir vêtue, juchée sur ses plus hauts talons, boucles d'oreilles, colliers, bracelets et fard à paupières assortis.

— Seigneur, ma sœur, veux-tu ben me dire qui c'est qui est mort ?

Méprisant les ricanements de la compagnie, tu traversais solennellement la salle à manger, menton en l'air, yeux baissés. Papa se penchait alors sur mon épaule et me chuchotait à l'oreille :

— Cléopâtre a fauché compagnie à ses deux empereurs rivaux pis, avant d'aller prendre son bain de lait de brebis, s'arrête en passant, incognito, prendre le thé avec le menu fretin !

— Je pense que vous devriez venir. Votre mère passera sans doute pas la nuit.

Une voix inconnue, à huit heures du soir, me rappelait que, contre toute attente, tu étais bel et bien mortelle, peut-être même mourante. Je t'avais pourtant quittée l'après-midi même, alerte, solide sur tes jambes, parlant même de durer facilement « une bonne secousse encore ». Je croyais si peu à ton agonie que j'ai roulé sans me presser, traversant en sifflotant un très beau soir de mai, persuadé que je te découvrirais assise à te bercer sur ton petit balcon, admirant le naufrage du soleil dans les pins. Mais tu n'étais ni sur le balcon ni dans ta chambre, où la grande rousse m'a trouvé, la tête dans ta penderie, d'où la moitié de tes affaires avaient disparu.

— Mais, voyons, elle est à l'hôpital ! On vous l'a pas dit ?

J'ai dévalé l'escalier. La nuit était tombée sans que je m'en aperçoive. Il m'a alors semblé que rien n'était vrai, ni les étoiles pâles ni le vent chaud ni ce surgissement acide et neuf d'une saison qu'on tentait de me convaincre que tu ne verrais pas. Le cœur me battait dans la nuque. J'attendais cette nuit-là depuis si longtemps, j'avais fini par oublier que je n'étais pas prêt.

— Elle est dans la salle des soins intensifs. Attendez, faut mettre le masque !

— Le masque ?

— Les microbes !

— Les microbes ?

— Les vôtres, oui ! Elle est si faible que...

— Faible ?

Je n'adhérais toujours pas au songe dans lequel je me mouvais. Dans la pénombre, des écrans clignotants, le ronronnement de la machine qui respirait à ta place et puis le sosie de ton corps, sous un drap immaculé. En quelques heures seulement, tu étais devenue cette très vieille femme au bout de son chemin et qui peut-être s'était endormie pour toujours.

— Il faut la laisser dormir.

— Elle va... ? Est-ce qu'elle va... ?

— Votre mère est très fatiguée. Revenez demain matin. Si jamais... je vous appellerai.

Je suis reparti. J'ai marché, roulé, bu, fumé, puis dormi, dans le même rêve sans queue ni tête. Au petit matin :

— C'est moi, son fils.

— Elle va mieux. Croyez-le ou non, elle est déjà de retour à la Villa !

Tu étais assise près de la fenêtre, occupée à tâcher de comprendre ce que baragouinait l'infirmière qui tentait de t'enseigner à te servir d'une pompe en forme de pipe, que je voyais pour la première et dernière fois de ma vie – tu l'as glissée, une fois l'infirmière sortie de ta chambre, au fond de la poche de ma veste, où elle doit se trouver encore.

Fausse alerte. Tu vivais. Tu vivrais. Et sans l'aide de « ce maudit bout de tuyau insignifiant là ! ». Sur ta table de chevet, un paquet de Matinée, ouvert, où il manquait trois cigarettes.

— L'infirmière l'a même pas vu ! C'est te dire comment est-ce qu'on s'occupe de moi, ici-dedans !

J'ai éclaté de rire et tu m'as emboîté le pas, ricanant à t'étouffer, l'œil allumé d'un éclair de malice à dérider un mort.

Tu allais survivre trois mois encore, répétant à qui voulait l'entendre :

— C'est long ! Je devrais déjà être morte ! Veux-tu ben me dire comment ça se fait ?

Contrefaisant la voix grondeuse de papa, je te répondais :

— On veut pas de toi de l'autre côté, t'es pas du monde !

— C'est pas ça ! C'est parce que les saints pis les anges se croiraient en enfer à cause de ma fumée de cigarette !

— Où est ta mère ?

— Chez le boucher, je pense.

— Non, j'en arrive !

— Alors chez Viviane, chez Jeanne ou chez Annette.

— Pas plus, j'ai téléphoné.

— Mais…

— Elle a disparu !

— Disparu ?

— Disparu, j'te dis ! Es-tu sourd, coudonc ?

— T'es inquiet ?

— On pourrait dire ça de même !

Papa a retiré sa casquette, a frappé dedans à grands coups de poing, l'a lancée sur la table.

— Si elle m'a fait ce coup-là… !

— Quel coup ?

— Ta mère s'est levée enragée après le chien, après la maison, après moi, après le monde entier ! J'ai peur que…

— Que quoi ?

— Viens, on va la chercher !

On a fait ensemble le tour de la maison,

ouvrant et claquant chaque porte à toute volée. On a fouillé la remise, le hangar, passé au peigne fin le potager, le champ de tabac, le sentier qui menait au lac. Papa hurlait ton nom comme s'il te savait couchée dans ton sang, quelque part dans l'herbe haute, ou noyée au fond du puits. Je le voyais fendre le foin, disparaître dans la fardoche, en ressortir sans sa casquette, échevelé, affichant l'air éberlué de Thomas Guindon, le fou du village. Je me répétais : « Elle a disparu », pris d'un fou rire de terreur qui me faisait haleter et me dépêcher dans la fougère comme le chien qui chasse.

— On prend vers le bord de l'eau ! Toi par chez Lafleur, moi par chez Laurin !

J'ai débouché de la saulaie, le cœur dans la gorge, pour apercevoir papa, planté, immobile comme une statue, au bout du quai, la tête penchée sur le courant, où peut-être ta robe flottait. Il s'est retourné, a fait un grand non découragé de la tête et nous sommes revenus à la maison, comme on rentre du cimetière un coup le cercueil descendu dans le trou.

Tu étais là, assise à ta place coutumière, au bout de la table, à fixer ta tasse de thé fumante, comme s'il s'agissait d'un poison subtil de ta confection, qui, lui, ferait l'affaire. Papa a crié :

— Mais veux-tu ben me dire… !

— Quoi ?

— Où t'étais passée ?

Sans lâcher la maudite tasse des yeux, tu as répondu, d'une voix d'outre-tombe :

— Comme si c'était de vos affaires !

Papa a tourné la tête vers moi, puis il a haussé les épaules et il est sorti en coup de vent. Je me suis assis, comme assommé, à la place de papa, à l'autre bout de la table, face à toi, et j'ai marmonné :

— Maman, qu'est-ce qu'y t'a pris ?

Tu as levé les yeux et grimacé un sourire de folle qui m'a fait frissonner de partout.

— J'ai droit à mes petites cachettes, moi aussi, tu penses pas ? Mes petits coins tranquilles, où vous avez pas d'affaires, ni ton père ni toi !

— Mais…

— Pas de mais ! C'est mes oignons ! Pis qu'y veuille l'admettre ou pas, ton père *aguit* pas ça me perdre, me chercher, me penser morte pis me retrouver ici-dedans, sage comme une image. Même que ça y remet de la mine dans le crayon.

— Mais… moi ?

— Toi ? Ça fait belle lurette que j'me suis aperçue que pour toi j'étais rien d'autre qu'un sujet pour tes compositions françaises.

— Arrête !

— Fais-moi pas ta face d'innocent scandalisé !

— T'es folle !

— Pis toi, t'es un génie, un ange, un être supérieur déguisé en enfant de chœur comme les autres ! Va te regarder dans le grand miroir de ma chambre, tu vas comprendre ce que j'veux dire ! Pis après, va te laver les mains. Ta servante a préparé ton souper, pis j'veux pas que tu barbouilles de crasse ma belle nappe fraîchement lavée !

La voix inconnue au fond de moi a grommelé : « Le fond du puits, le courant au bout du quai, l'enfer, comme de raison, c'était trop demander ! »

— Tes cachettes, tes petits coins tranquilles, tes reposoirs…

— Mes reposoirs, exagère pas ! J'me prenais quand même pas pour le Seigneur dans son ostensoir !

— Quasiment !

— T'as jamais compris, hein ? T'as jamais voulu comprendre que j'avais besoin de vous sacrer là, de temps en temps, ton père pis toi ? Que moi aussi, j'avais « besoin d'air », comme disait ton père en décrochant son coupe-vent pis en disparaissant jusqu'à la nuit tombée ? Coudonc, es-tu sans-dessein pour de vrai ou ben si tu fais semblant ?

— Mais où t'allais et pour faire quoi ?

— Aujourd'hui comme autrefois, c'est pas de tes affaires ! Ah, pis si ça te démange tant que ça, ast'heure que chus prisonnière ici-dedans comme une malfaiseuse pis que j'ai pus de jambes pour marcher, pour courir encore moins, je peux ben te le dire. Je descendais à la cave.

— La cave chez nous ?

— Celle de la maison de ton grand-père Léopold.

— Mais y a rien que des vieilles affaires démantibulées, des pommes pourries pis des rats, là-dedans!

— Tu y es pas allé assez souvent! T'avais ben que trop peur des fils d'araignées pis des grognements de la vieille fournaise pour t'apercevoir qu'y avait des trésors dans cette cave-là.

— Quels trésors, veux-tu me dire?

— La vieille machine à coudre de Maman, ta grand-mère Eugénie, le vieux gramophone de notre père, qui grinchait comme y pouvait le charleston pis le fox-trot, le mannequin à couture de ta grande-tante Valentine...

— Des vieilleries!

— Oui, des vieux cossins, mais qui, contrairement à ton père pis toi, me parlaient.

— Comment ça?

— Je t'ai déjà dit comment parlent les morts. Du bout des lèvres, doucement, comme dans un rêve.

Tes yeux s'embuaient, ta main tremblait sur ton genou. L'orangeade tant détestée tiédissait un peu plus dans son pot. Le soir tombait, un jeune soir de très vieil automne, violet tendre et bleu aile de sarcelle. Celui que tu apercevais, autrefois, par le soupirail de la vieille cave, promenant tes mains souvenantes sur une manivelle de cuivre vert-de-grisé, sur la plaque tournante enrayée d'un ancien tourne-disque qui avait si souvent joué la musique que tu aimais. Toi qui avais peur de tout – même si tu n'arrêtais pas de répéter : « La fille du forgeron craint pas les étincelles ! » –, tu n'avais donc brusquement plus peur du noir, des araignées, des fantômes ?

Il me fallait te croire sur parole, encore une fois, même si je distinguais au fond de tes yeux la petite flamme vacillante de l'affabulation. Ces soirs-là, je partais en coup de vent, la tête pleine de tes racontars qu'aussitôt rentré chez moi je mettais dans la bouche d'une mère qui était et n'était pas toi, dans mon roman. Tu disais :

— Tu t'en vas pas déjà ?

— Je te fatigue, je le vois bien, avec toutes mes questions.

— C'est avant que tu me fatiguais. Aujourd'hui…

— Quoi, aujourd'hui ?

— Rien. Va dormir. T'as l'air…

— … de ce que le chat a déterré trois fois depuis le matin, je sais !

— Seigneur, si on dirait pas que pour une fois tu me laisses le dernier mot !

— C'est sûrement pas le dernier !

— Non. Le dernier, c'est celui que j'vas te dire là : j'ai eu peur de vivre, mais j'ai pas peur de mourir. Y m'attendent, de l'autre bord. Pis j'ai hâte !

Un seul soir, nous avons regardé ensemble un film à la télévision, dans ta chambre, à la Villa. Il s'agissait de *L'Île nue*, d'un réalisateur japonais dont j'ai oublié le nom. Le récit, d'une violence sourde, se déroulait avec le ralenti lancinant d'une tragédie antique. Les yeux te fermaient, tu bâillais, soupirais, bredouillais :

— C'est ben long ! Y va-t-y se passer queque chose, oui ou non ?

— Comme tu dis souvent : « Si tu dors, va te coucher ! »

— Tu vas regarder c'te platitude-là jusqu'à la fin ?

Tu branlais la tête de gauche à droite, de bas en haut, dans une espèce de oui-non stupéfié. L'héroïne ne cessait de grimper un sentier rocailleux qui longeait une muraille escarpée, les épaules entravées par une longue tige de bambou, aux deux extrémités de laquelle pendaient deux seaux remplis d'eau, puisée un peu plus tôt dans la mer, qu'on apercevait en contre-plongée. Son mari, tout en haut de la falaise, les poings sur les hanches, les sourcils mauvais, regardait peiner sa femme sans broncher.

— Y va toujours ben finir par descendre l'aider, jamais je croirai !

— Chut, Maman !

La femme grimpait, grimaçant sous le joug. Elle butait contre un caillou et un peu d'eau se renversait. Affolée, elle levait la tête vers son mari, qui affichait toujours le même sourire carnassier.

— Mais, voyons ! Grouille, son père ! Tu vois ben qu'elle en arrache sans bon sens !

— Maman, s'il te plaît !

— Mais là !

— Chut !

La porteuse d'eau grimpait toujours, courbée sous l'effort surhumain. On voyait brièvement ses pieds nus, où déjà perlait du sang. Puis en très gros plan la bouche cruelle du mari. De nouveau la femme trébuchait, un seau se renversait, puis l'autre. Plan rapproché de la boule de feu du soleil qui plombait sur le rocher, puis sur la mer étale et qui semblait embrasée elle aussi. Puis sur l'épaule meurtrie de la femme. Puis sur le visage furieux du mari. Puis sur un seau à demi vide. Puis sur l'autre seau qui perdait dangereusement son eau. La jambe ensanglantée de la femme, un seau complètement vide, puis l'autre, le sourire haineux du mari, le ciel incendié, le maelström blanc de la mer. Pas la moindre note de musique, juste les halètements de la porteuse d'eau et le crissement des cigales.

— A se rendra jamais jusqu'en haut emmanchée de même, la pauvre bête!

Gros plan sur le beau visage de la femme, puis sur le ciel en feu, puis de nouveau sur les pieds ensanglantés, puis sur un seau vide et encore une fois sur la bouche hargneuse du mari. Puis trois violents coups de cymbales et la femme est tombée dans la poussière, renversant sur les pieds du mari le peu d'eau qui restait dans ses seaux.

— Y va toujours ben l'aider à se relever, l'écœurant!

On a vu le mari s'accroupir, le ciel brûler un peu plus encore. Une longue trace de sang sur une pierre. Nouveau coup de cymbales. Un oiseau de proie a traversé le ciel en flammes. J'ai tourné la tête vers toi : sur le bout de ta chaise, les mains lancées loin devant toi, tu t'apprêtais à t'en mêler d'une seconde à l'autre. Dernier coup de cymbales, l'aigle a sifflé, le mari a levé la main.

— Non!

Et puis il l'a frappée, à coups de poings, de pieds et de genoux. Ultime coup de cymbales. Tu t'es levée comme une ressuscitée.

— Maudit cochon de salaud! A-t-on déjà vu? Je t'arrangerais la face sur un temps rare, moi! Pis toi, niaiseuse, que c'est que t'attends pour sortir tes griffes pis lui arracher les yeux?

— Maman, c'est rien qu'un film. Une fiction.

— Fiction tant que tu voudras, un écœurant, c'est un écœurant ! Chus tout en sueur, j'ai les jambes molles, j'ai le cœur dans le gorgoton !

— Je vais demander qu'on te prépare une tisane.

— Une tisane ? Tu penses qu'une tasse d'eau chaude va m'ôter de l'idée ce chien sale là ? C'est de ta faute, aussi. C'est toi qui m'as forcée à regarder ton maudit film plate !

— T'avais pourtant pas l'air de le trouver si ennuyeux que ça.

— C'est ça ! Fais-moi damner encore un peu plus !

— Tu devrais aller essayer de dormir.

— Pour l'apercevoir dans mes rêves, c'te maudit sauvage là ? Une fiction ! M'a t'en faire, une fiction ! Des sans-cœur comme ton Chinois…

— C'est pas un Chinois, c'est un Japonais.

— Hein ?

— L'histoire se passe au Japon.

— Pantoute ! Ça se passe juste à côté d'icitte, chez les Gadoury !

— Comment ?

— Tu devrais la voir étendre ses guenilles sur la corde à linge, le lundi matin, un œil poché, les bras couverts de bleus pis le taquet bas comme la femme de ton maudit film plate. Une fiction ! C'est peut-être une fiction pour toi, mon p'tit gars, pas pour moi !

— Alors, c'est que le film était bon, non ?

— Rentre donc chez vous te coucher, au lieu de parler à travers ton chapeau !

C'est toi, bien sûr, qui étais dans le vrai et j'allais m'en souvenir : un bon film – un bon livre, une bonne pièce, un tableau réussi –, c'est beaucoup plus qu'une fiction, si génialement arrangée soit-elle. Ça vous assourdit, comme les cymbales du maître japonais. Ça vous fait vous élever dans le ciel, comme l'aigle du film, survoler, le cœur au poing, la tourmente au ralenti et, à la fin, ça vous pousse à crier, comme toi, à tue-tête :

— Fiction tant que vous voudrez, ça arrive dans les meilleures familles, ces affaires-là !

Pourquoi diable est-ce que je m'efforce de te traîner dans la grande lumière de l'été, toi qui fus d'automne, de crépuscule, de clair-obscur, de soir couchant sur la galerie ?

— Allume pas ! On est si bien comme ça, dans la p'tite noirceur. Ça repose tellement !

Dans le demi-jour, tu t'escamotais, tu disparaissais un peu plus, tu te reposais, ton barda d'esclave derrière toi. Tu étais tranquille, débarrassée, légère, offerte au bienheureux assombrissement des choses. Je sais bien que tu n'aimes pas ce que je fais aujourd'hui, tu n'aimes pas que je t'ébruite comme je le fais, à tout vent. Apparaître en pleine clarté te désespère, t'enrage, même, je le sais. Toutes ces photographies qu'en vain on tentait de prendre de toi ! Tu enfouissais ton visage dans tes mains et criais :

— Non ! Pas ça ! Non !

Tu ne serais pas, pour notre seul plaisir, cette pauvre femme éclairée de force, grimaçant un sourire de captive, de grande brûlée. « Jamais, au grand jamais ! » Vive l'ombre, la presque nuit, l'entre chien et loup clément, indulgent, miséricordieux.

— Éteins la lumière, pis vas te coucher !

— Tu vas rester toute seule, comme ça, dans le noir ?

— Noir ? C'est pas noir ! C'est gris pis rose, même un peu violet, là, au-dessus des arbres.

C'était ton heure, cette brunante, ce sépia des anciens portraits, des vieilles gravures au grain rouillé et qui dissimulait la présence si envahissante des choses, des êtres, de nos meubles que tu détestais pour y mettre le feu, du chien haï couché dans l'herbe à tes pieds, de papa vernissant la chaloupe dans la lumière crue du hangar, pour ne rien dire de mon omniprésence de trop curieux, d'espion, de « surveillant ».

Penchée sur mon épaule, ce soir encore tu me répètes, puisque je n'ai bien sûr pas compris :

— Pour l'amour, éteins pis laisse-moi toute seule ! Fais comme si j'étais morte ! Pis va te coucher. T'as l'air…

— Maman…

— Éteins !

La mort – celle des autres, pas la tienne, qui approchait pourtant – te mettait hors de toi. La toute dernière, celle de ton petit-neveu « de la fesse gauche », qui vivait de l'autre côté du lac et qui t'a fait l'affront de disparaître avant toi. Un jeune homme de vingt-six ans, « beau comme un acteur » et qui, chagriné d'amour, s'était tiré un coup de carabine dans le cœur. En apprenant la nouvelle, tu as poussé un grand cri – « Je le savais ! » – et tu as disparu dans ta penderie, d'où tu es ressortie vêtue de noir des talons au chapeau, un petit sac, noir lui aussi, dans le coude du bras.

— Appelle ton oncle Désiré, qu'y me conduise !

— Maman, Désiré est mort il y a plus de vingt-cinq ans !

— Ben, appelle un autre taxi, ça presse !

— T'es pas assez solide sur tes pattes, voyons donc !

— Appelle, j'te dis !

— Maman, c'est à peine si t'as vu trois fois ce garçon-là dans toute ta vie !

— Appelle !

Tu es montée dans ma voiture sans la reconnaître et tu es restée assise bien droite sur la banquette arrière, les yeux secs, la bouche en cul de poule, pendant toute la traversée. Une fois devant la porte du salon funéraire, tu t'es pliée en deux, le visage dans tes mains.

— J'serai pas capable ! C'est au-dessus de mes forces !

Un oncle t'a pris un bras, j'ai attrapé l'autre : on aurait dit qu'on escortait non pas la grand-tante venue veiller le mort, mais la mère éplorée, chancelante, à demi morte, de ce Jean-Louis que je n'avais pas connu. Nous repoussant brusquement, l'oncle et moi, tu t'es dirigée vers le cercueil d'un pas d'effondrée qui sait se tenir, aveugle aux mains gantées de noir qu'on te tendait, sourde aux salutations chuchotées que t'adressait la parenté, et tu es tombée à genoux sur le prie-Dieu, comme frappée avant ton heure. Un à un, parents et amis sont partis et tu es restée seule devant le beau visage de cire du petit-neveu à qui, du bout des lèvres, tu marmonnais je ne sais quoi. Je me suis approché. Tu ne parlais pas, tu chantonnais, un air que je ne connaissais pas, mi-plainte mi-berceuse, une lamentation de ton invention, où revenaient sans finir les mots « mon bel ange », comme le contrepoint d'un chant d'église. Les joues ruisselantes de larmes, tu souriais.

De retour à la Villa, tu t'es laissée tomber dans ton fauteuil, épuisée, et tu as dit :

— Un ange d'ici-bas, ça doit ben faire pas moins qu'un archange en paradis, tu penses pas ?

— On dit que c'est une peine d'amour qui…

— Non. C'est le p'tit monde !

— Quel p'tit monde ?

— Le nôtre ! Le chanceux, y en est sorti ! Sur un beau grand cheval blanc, y s'est envolé. Y est tranquille, à présent.

— T'arranges ça comme tu veux, hein ?

— Y me l'a dit.

— Couché dans son cercueil, il t'a parlé ?

— Ben non ! Il doit y avoir dix ans de ça. La première fois qu'il a voulu se tuer. Le pauvre a *toffé*, il a essayé, il a perdu. Un ange, ça a pas de poings pour cogner. Ça a rien pour se défendre.

— Un ange ? T'es sûre que…

— Si t'achèves pas de te mêler d'affaires que tu comprends ni du fessier ni de la caboche, j'te verse sus la tête le maudit pot d'orangeade !

La photo de l'ange – le beau Jean-Louis, debout dans une charrette, en salopettes et camisole sans manches, grimaçant un sourire d'enfant incompris – est restée jusqu'à ta mort sur la commode de ta chambre, entre la mienne et celle de papa.

— Un p'tit verre seulement, pis j'perdais la carte. Fallait-y être folle, sainte-bondance ! J'pensais que je devais faire comme les autres, c'est pas plus compliqué ni plus brillant que ça !

Devant moi, tu revivais ces vieux soirs d'hiver, après la pêche sur la glace : bière, whisky, rye et gin, palabres et sparages autour de la table de la cuisine. Ton regard de pâmée qui me cherchait, me trouvait, avouait piteusement ta désobéissance, ton péché, ta honte. Tu perdais vite la trame effilochée de la parlote, effondrée mais bien droite sur ta chaise, mâchonnant de-ci de-là des « ben oui », des « ben non », des « c'est ben pour dire » à contretemps, folle égarée au milieu des conteurs en délire. Ça piaillait, riait, s'esclaffait autour de toi comme la volaille dans le poulailler. Tu n'y étais pas. Tu étais ailleurs – « C'est pas de ma faute, j'ai pas le vin gai ! » –, dans une hébétude mélancolique bien à toi, au fond d'une vieille maison où tous les plombs avaient sauté, ses fenêtres ouvertes sur un orage suspendu, menaçant, immobile. On aurait dit une vieille enfant stupéfiée par une vision de catastrophe que les autres étaient incapables de soupçonner. Tu lançais des œillades épouvantées à l'un puis à l'autre, les avertissant d'un malheur en cours, que tu étais seule à voir approcher et qui risquait de « faire sauter la cabane ».

— « Coudonc, ma sœur, t'es ben tranquille à soir ! » Tranquille ? Fallait-y qu'y soient éberlués, tous et toutes autant qu'y étaient ! Fallait-y qu'y soient abusés par leus grands éclats !

— Arrête, Maman, tu te fais du mal !

— Non, ça me fait du bien de me vider le cœur !

Ton redoutable tête-à-tête avec la mort remontait à ce temps-là. « L'ange des ténèbres », sur le coup de minuit, te réveillait, disais-tu. Les autres ne voulaient rien voir, rien entendre, les chanceux oubliaient en vidant bouteille.

Tu partais t'allonger sur le sofa du salon, d'où tu m'appelais aussitôt.

— Tu te rappelles ? J'te disais : « Y m'ont encore fait boire. » Pis toi, qui avais l'âge de la justice, de la moralité, donc de la cruauté, tu me répondais : « T'es folle, t'es malade, tu me fais honte ! »

— Maman, je t'en supplie !

— J'achève, dans tous les sens du terme, ça fait que laisse-moi jaser, ça me fait du bien. J'te disais : « Les entends-tu ? Y font comme si de rien n'était, les pauvres ! Y savent peut-être pas ? »

— Et toi ?

— Quoi, moi ?

— T'étais mieux qu'eux autres, peut-être ?

— Mieux, pas mieux, c'est pas la question. Eux autres oubliaient. Moi, je pouvais pas. C'était comme ça.

— Pourquoi ?

— J'vas te répondre ce que j'te répondais autrefois : « Va te coucher, t'as de l'école demain ! »

— Et moi, je criais : « Je veux pas y aller ! Je veux aller nulle part ! Je veux juste mourir ! »

— Je sais que tu voulais t'en aller à ma place. Tu veux encore t'en aller à ma place. Faut que t'arrêtes, ça va te rendre malade.

De l'histoire ancienne, cette peur de la déflagration, cet emmêlement de désirs et de terreurs, notre complicité difficile dans le salon, dans la chambre, sur la galerie, d'outre-tombe comme de ton vivant ?

— J'prendrai pus de boisson, j'te le promets. C'est fini.

Ces soirs-là, je me mettais au lit en me répétant : « Il faut que tu dormes ! Tu dois durer encore, sinon à sa place, du moins à ses côtés ! »

Tu avais encore besoin de moi. Du moins, c'est ce que je voulais croire.

— Allô ! C'est ta mère ! Chus pas morte !

— Bonjour, Maman.

— Ça fait dix mois, trois semaines et deux jours que t'as pas mis les pieds chez vous, mon garçon !

— C'est plus chez nous et tu le sais.

— Faut croire. Ton père va pas fort. Y mange pas, dort une heure par-ci par-là dans son fauteuil, le livre que tu lui as prêté sus la bedaine. À tout bout de champ, y *jompe* comme si j'avais allumé un pétard à mèche en dessous de sa chaise.

— Je vais venir.

— Oui, oui, le diable sait pas quand pis le bon Dieu encore moins !

— J'ai beaucoup de travail, tu sais.

— Non, je le sais pas. T'appelles pas, t'écris pas. Ça doit être que ton père pis moi, on est comme qui dirait déjà trépassés !

— Maman !

— Qui, ça, Maman ? Que c'est que ça mange en hiver, ça, une maman ?

— Recommence pas, veux-tu !

— Raccroche-moi pas la ligne au nez ! J'ai pas fini de te donner des nouvelles ! L'escogriffe de chien pas de médaille a étripé la chatte angora de la voisine maboule. Tu te rappelles toujours ben de la Griffith ?

— Ben oui !

— Comme d'un fantôme aperçu en rêve, oui ! En tout cas, ton père lui a fait des excuses à quatre pattes dans l'herbe, la main sur le cœur. Quand je pense que j'ai jamais eu droit au plus avaricieux « pardonne-moi » de sa part, même la fois où y m'a forcée à piocher *J'attendrai le jour et la nuit* sur le piano désaccordé de ta grand-mère, pendant qu'y promenait ma cousine Thérèse dans un beau grand slow collé, au su pis à la vue de tout le monde…

— Excuse-moi, Maman, mais il faut que je raccroche.

— Beaucoup de travail, oui, oui ! On sait ben : toi t'as du travail, tandis que moi j'ai de l'ouvrage ! C'est pas pantoute la même chose !

— Maman… !

— Dis-moi donc, y est quelle heure chez vous, là ?

— La même heure que chez nous, voyons !

— Ah, tu l'as dit ! T'as dit « chez nous » ! C'est tout c'que je voulais !

— Bon, c'est assez !

— Pis veux-tu ben m'apprendre comment je

pourrais savoir ousque t'es ? Je sais même pas où tu restes, dans quelle ville, quel pays, dans quel trou perdu pis avec quelle guedaille !

— Je te préviens, je raccroche !

— Comme tu voudras ! Ça fait belle lurette que parler toute seule me donne pus mal à tête. N'empêche, prends ton char – si t'en as un, mais tu dois être trop pauvre, j'imagine, avec ton métier de bohémien ! –, pis viens voir ton père, qui en arrache sans bon sens. J'me cacherai dans l'armoire à balai, tu m'apercevras pas plus que du temps béni ousque tu daignais avaler mon manger pis dormir dans mes draps propres, sois sans crainte !

— Maman, je...

— C'est tout bon ! Pis c'est moi qui vas raccrocher. Y a toujours ben une limite ! Ast'heure, tu sais ce qui te reste à faire !

J'écoutais longtemps la ligne morte, le stylo encore à la main, qui venait – il y avait dix minutes, dix ans – de dessiner trait pour trait ton visage, de recopier mot pour mot ton dire, ta parlure, l'un de tes beaux mensonges, que j'avais mis dans la bouche d'une autre.

Revenir ? Il aurait fallu pour ça que je sois vraiment parti.

J'avais bu la moitié d'une bouteille de gin en quittant l'hôpital. J'avais à t'annoncer que papa n'en avait plus que pour quelques semaines – le médecin était formel. Tu m'attendais dans la porte, en robe de nuit, les bigoudis sur la tête. Les tantes n'avaient cessé de me répéter :

— Ta mère va s'effondrer. Ce sera pas facile pour elle, qui sait ni faire un chèque ni sortir les déchets ni tondre le gazon ni ci ni ça ni rien. Va te falloir un courage du diable, très cher !

J'avais à peine le pied dans la cuisine que tu t'es dirigée vers le comptoir de l'évier, comme à l'accoutumée.

— Je vois que t'es soûl, pauvre toi, je vas te faire un café.

— Maman, il faut que…

— Enlève toujours ben tes bottes, je viens de cirer mon plancher !

— Je peux pas rester. Vois-tu…

— Tu vas toujours ben prendre vent, t'es pâle comme un linge !

Tu t'es assise à ta place, au bout de la table, et j'ai

pris celle de papa, en face de toi. J'avais répété ma tirade tout le long du chemin, mais un coup devant toi, qui posais pain, beurre, fromage, cretons et confitures sur la table, comme à chaque « retour de l'enfant prodigue » – « Chus sûre que t'as rien mangé d'autre que la sandwich pas de croûte, mouillée d'un côté, *chesse* sus l'autre, de l'hôpital ! » –, les mots sont restés prisonniers de la guenille salée que j'avais au fond de la gorge.

— Ton père a trop de visite. Ça le fatigue en masse.

— Maman, je…

— Mange, mange ! Moi, faut que je repasse ma maudite jupe vert-de-gris pour demain. Déjà qu'est mûre à voir au travers !

— Maman, assis-toi, pour l'amour !

— Le docteur m'a donné des pilules pour dormir, mais ces saloperies-là me mettent encore plus sus les nerfs ! J'y ai pourtant dit : « J'ai jamais dormi, pis c'est pas vos p'tites granules bleu poudre qui vont changer ça ! » Un bel homme, ce docteur-là, toujours à quatre épingles, le parler fleuri, une belle façon de gentleman. Y me fait penser…

— Maman, lâche ton fer à repasser, pis viens t'asseoir !

— Mon Dieu, si on dirait pas que la malade, c'est moi !

— Justement, faut que je te dise…

— T'as pas dessoûlé encore, ça fait que tu vas

parler à côté des mots encore une fois, pis je comprendrai rien. Bois ton café, pis plus vite que ça !

— Maman, papa va mourir !

Tu t'es tournée vers moi, un pan de la maudite robe verte dans une main, le fer dans l'autre, les sourcils tout en haut du front.

— Tu t'imagines toujours ben pas que j'étais pas au courant ? Y en a pour dix jours au gros plus.

— Le docteur te l'a dit ?

— T'es drôle, toi ! Le docteur ! On vit pas quarante ans avec un homme sans savoir ce qui le travaille, mon pauvre enfant !

— Mais…

— C'est pour m'apprendre la fin proche de ton père que tu t'es mis chaud comme une botte, à deux heures du matin ? Ton père va mourir, pis toi t'es à moitié mort. Finis ta toast pis ton café, pis va t'étendre. Parti comme t'es là, tu pourras pas assister à l'enterrement.

— T'as pas l'air de te rendre compte…

— Va-t-y falloir que je t'assomme avec ce fer-là ? Ton père va mourir ! Y le sait, pis j'le sais, pis ça finit là ! On va y aller une journée à fois, une nuit à fois, si ça te dérange pas trop. Pis, là, faut que j'achève de déplisser ma guenille, pis toi faut que tu dormes ! Ton ancien lit t'attend. Les pieds vont te dépasser, mais les draps sont propres. Pour le reste, qui viendra ben assez vite, on verra dans le temps comme dans le temps.

Le reste, qu'on te croyait incapable de gouverner, tu en viendrais à bout comme depuis toujours de toutes les tracasseries du jour le jour : en soupirant et chicanant, tour à tour de fer, de larmes et d'orties. Et seule, comme tu l'avais toujours été.

— Les autres sont des présences, c'est tout ! De la bonne ou de la mauvaise compagnie, rien de plus. Des fantômes à bonnes ou à mauvaises manières. Y nous accostent, on les endure, on veut les retenir, y nous échappent, on veut les saprer là, y nous collent aux fesses, on se cloître, y nous cherchent, nous trouvent, on apparaît, y nous voient pas. Au fin fond, chacun est tout seul, comme la perle dans son huître, comme...

— ... la lionne dans sa cage ?

— Fais pas ton fin finaud ! T'es au moins aussi enfermé que moi dans ta coquille, mon p'tit gars ! Pis si tu dis le contraire, c'est que t'as encore ben des croûtes à manger avant de comprendre.

— Fatale !

— Innocent.

— Défaitiste, renfrognée, misanthrope !

— Mise en quoi ?

— Sauvage, si t'aimes mieux !

— Le sauvage, c'était ton père ! Pis ta mère, la traîne-sauvage ! Parce que j'te dis que je l'ai traîné longtemps, ton père, dans les sentiers droits comme dans les côtes à pic !

— Mais la vraie sauvagesse, c'est toi ! La sorcière, la diablesse, la furie.

— Sans-dessein !

Tu ris silencieusement, derrière ta main. C'est que tu sais que j'ai raison et qu'avoir raison ne sert absolument à rien.

— J'peux pus marcher, c'est-y pas effrayant ! Moi qui étais si fière de mes jambes ! Ton père disait que j'avais « les mollets galbés de Ginger Rogers », tu sais la danseuse des comédies musicales que j'aimais tant ?

— Tu nous obligeais à pousser la table et les chaises le long du mur, tu relevais ta jupe jusqu'à mi-cuisse et tu exécutais le charleston, la bossa-nova ou le one-step, sans te fatiguer, tes longues jambes jazzant la jalousie, le désir, la peur de perdre l'amant imaginaire. Fatale, tu ne l'as jamais été autant que ces soirs-là, danseuse étoile éblouissante. Tu virevoltais du sofa à la fougère en pot, de la lampe torchère au cendrier sur patte. Tes yeux lançaient tour à tour des éclairs de rage, des lueurs pâles de trahie, les étincelles de la passion bafouée...

— Comme tu y vas ? J'te dis, toi pis les mots, vous êtes comme cul et chemise ! Continue, pour voir !

— Tu attrapais le napperon de dentelle sur la table, t'en faisais un châle andalou, que tu drapais dramatiquement sur ton épaule, tanguais dangereusement jusqu'à tomber, terrassée par le cruel mal d'amour, dans les bras de papa, qui mimait gauchement le grand dadais au cœur tendre, celui qui à la fin cueille humblement la belle, même s'il sait qu'il ne la mérite pas. On riait comme des fous, en te marchant sur les pieds. Tu nous repoussais comme Ginger Rogers ou Sid Charisse, les deux bras tendus dans un adieu langoureux, violent, la tête rejetée en arrière. On voyait juste le blanc de tes yeux de noyée ravie. Tu poussais un cri et tombais sur le sofa comme une assassinée. On accourait à ton chevet, tristes spectateurs en deuil de ta splendeur. Papa s'agenouillait, je faisais pareil, et on t'écoutait râler longtemps de plaisir, étalée comme une fatale sur les coussins du sofa. Puis, comme de fil en aiguille, tu te relevais et tu disais : « C'est ben beau tout ça, mais ma vaisselle est pas faite ! »

— Fallait ben ! C'est toujours ben pas ton père pis toi qui risquaient de plonger les mains dans l'eau graisseuse !

— Tu disparaissais dans la cuisine, tu redevenais la pauvre Cendrillon que le coup de minuit ramenait dans sa vilaine chaumière. On remettait les meubles en place, papa et moi. La fête sauvage était finie, la ballerine endiablée s'était enfuie comme par magie et on en était quittes pour endurer le cruel désenchantement des badauds, quand la tombola quitte la place du village, le lundi matin, tu te rappelles ?

— C'est beau de t'entendre. On dirait quasiment que c'est comme ça que ça s'est passé pour de vrai.

— C'était comme ça, Maman. T'aimais beaucoup marcher, aussi. Te faire monter dans une auto était toute une affaire ! Tu criais : « Lâchez-moi ! J'aime mieux marcher, je vous l'ai dit au moins dix-huit mille fois ! »

— J'traversais le village d'un bout à l'autre, aller-retour, droite pis fière. Ton père disait : « La reine d'Angleterre s'en va-t-en guerre ! » J'allais juste à l'épicerie ou ben à l'église.

— Ou chez Jeanne, ou chez Viviane, chez Annette...

— À la salle paroissiale, pour le bingo du mois.

— Tu te souviens de la fois où tu m'avais traîné avec toi et j'avais gagné et tu m'avais forcé à prendre, au lieu du camion de pompiers que je voulais tant, un petit poêle à un rond, dont tu t'es jamais servie ?

— Y doit être encore au fond du hangar, ou bien je l'ai donné au vieux Guindon, le ramasseux de ferraille !

— Tu marchais, beau temps, mauvais temps, sous le grand soleil comme sous la pluie battante, dans le vent, dans la rafale, droite, fière, toute seule au monde. Quand je te proposais de venir avec toi, tu me dévisageais de pied en cap, haussais les sourcils et déclarais, en coup de fusil : « Je vois rien quand un tel ou une telle marche à côté de moi ! »

— Tu me répondais : « Chus pas un tel ou une telle, chus ton fils ! Pis là, j'te disais : « Viens si tu veux, mais colle-moi pas aux talons ! »

— Je te suivais de loin, levant ou baissant la tête comme toi, espérant apercevoir dans les feuillages, les buissons, sous mes semelles, la beauté d'exception qui t'arrêtait comme le lièvre ou la perdrix faisait tomber Pinceau en arrêt dans le sous-bois. Et, en effet, je voyais chaque fois quelque chose : un éclair jaillissant d'un tesson de bouteille, un remuement suspect dans l'herbe en bordure du trottoir, un râteau rouillé couché sur le gravier d'une entrée de garage, un soulier, tout seul, sur une marche de galerie. Pis je me disais qu'une mauvaise nouvelle avait forcé Mme Griffith ou M. Brisebois à abandonner le soulier, le râteau, parce qu'elle ou il avait dû se dépêcher. Je gobais tous les détails que tu avais aperçus avant moi, comme le brochet avalait l'hameçon de papa, au bout du quai. Qu'est-ce que c'était que cette grande lueur d'incendie, là-bas, au-dessus des maisons, sinon l'église qui brûlait ? Je courais te rejoindre, pour t'entendre me déclarer :

— Voyons donc ! Les crimes, les malfaisances, les épouvantes, ça arrive en plein jour ! L'ombre est juste un attrape-nigaud !

— Je te disais : « Mais j'ai vu ! » Tu me répondais : « Garde ton imagination pour tes compositions, ousqu'y paraît que tu fais figure de génie ! Pis va te coucher, t'as l'air de ce que le chat… » Apparemment, je voyais pas ce que toi, tu voyais.

— Je marchais pour marcher, un point c'est toute ! J'en avais besoin comme toi de dormir. Pour oublier.

— Mais t'oubliais pas.

— Non, comme de raison.

— Je te regardais partir en direction du bord de l'eau. Je me disais : « Elle va voir l'arbre aux écus d'or, les étoiles mystérieuses, à elle seule les choses dans la nuit feront des signes. Tu revenais de tes promenades et tout continuait comme avant. Pourtant…

— Pauvre enfant ! Le rêveur, c'était toi. Celui qui voyait pis qui savait pas quoi faire de ses visions.

— Sans toi, sans papa, j'aurais pas pu voir, c'est sûr.

— Tu dis ça !

Je disais ça et c'était vrai. Et c'est encore et toujours vrai.

Tu n'allais plus, comme dans la chanson de Brel, que « du lit à la fenêtre, puis du lit au fauteuil et puis du lit au lit ».

— Moi qui restais pas plus de deux minutes sur une chaise, me v'là qui trône à la journée longue dans notre ancien chesterfield de salon comme une paralysée !

Tu te massais le haut de la cuisse, affichant un air non pas de douleur, mais d'étonnement incrédule.

— J'sais pas ce qu'y m'ont fait, au juste. Regarde-moi la grosse bosse que j'ai dans *la laine* !

— L'aine, Maman !

— C'est ça que j'ai dit ! J'me demande comment ça se fait ?

— Maman, on t'a opérée à la hanche !

— Va-t'en donc ! Je le saurais !

— Il y a trois jours de ça !

— Ben, voyons !

— Je te le jure !

— J'te crois pas. Je m'en rappellerais !

— On t'a droguée, pis on t'a emmenée à l'hôpital.

— L'hôpital de ton père ?

— Le même, oui.

— Au lieu de dire des niaiseries, aide-moi donc à me lever !

Je te prenais à bras-le-corps, te faisais faire de peine et de misère trois, puis quatre, puis six pas dans la petite chambre, du lit à la fenêtre, du lit au fauteuil, du fauteuil à la fenêtre. Tu pleurais et riais à la fois, grimaçant un air éberlué qui faisait pitié à voir. Je te déposais doucement dans le fauteuil. Tu disais :

— Ça m'a ben l'air que c'est fini.

— Quoi donc ?

— C'que ton père appelait mes « promenades de veuve ».

— Comment ça, de veuve ?

— Le pauvre ! Y pensait que j'partais sus le chemin pour m'écarter de lui. Y pouvait pas savoir, comme de raison.

— Savoir quoi ?

— Rien. Ça se dit pas.

— Comme de raison !

— C'est pas ma cannette de coke, là, qui fait une grosse bosse dans la poche de ta veste ?

— Qu'est-ce que t'en penses ?

— Ben, que c'est que t'attends ?

Tu avalais à toutes petites gorgées précautionneuses l'élixir pétillant, fermant à demi les yeux, comme la chatte qui lape. Il régnait dans la chambre un grand silence funéraire que l'éclat de la dernière neige de la saison, dans la fenêtre, rendait encore plus triste. Je disais, pour dire quelque chose :

— La marche, ça va te manquer, hein ?

— Tu peux pas savoir !

— Le printemps est quasiment arrivé pis…

— Lâche-moi avec ton printemps, veux-tu !

— Si tu veux, on pourra…

— J'veux rien pantoute ! Ou plutôt, tiens, j'veux que tu fermes ce maudit rideau là, même si y est laid à faire peur, pis qu'ensuite tu te sauves, les jambes à ton cou !

— Je reste encore un peu.

— Es-tu devenu sourd, coudonc ?

— On pourrait descendre dans le grand salon, jouer aux cartes avec les autres ?

— Quels autres ? Y a rien que des fantômes ici-dedans !

— Maman !

— Quoi, Maman ? J'peux pas crier, vu que c'est défendu dans la cabane, mais j'peux brailler, pis je *veux* brailler, pis j'veux pas que tu voies ça ! Ça va me faire prendre dix ans d'une *shot*, pis tu vas avoir la peur de ta vie !

— Ben, voyons !

— Quand les vivants nous attendent, on perd pas de temps avec une momie, prisonnière contre son gré dans un asile de ratatinés !

— Si tu veux, j'peux essayer de trouver un

autre endroit. Y paraît qu'on vient d'ouvrir, au pied de la côte, un nouvel…

— Abattoir ! Pour une fois que c'est moi qui trouve le mot ! T'as pas honte ! Un écrivain connu !

— T'exagères ! T'exagères tellement !

— Pantoute ! J'ai pus de jambes, pus de dos, pus de bras, un écrou de tracteur vissé dans ma hanche pis le cœur en dessous des talons ! Ça fait que finis ta liqueur pis va retrouver tes amis bohémiens, qui se doutent pas plus que toi de c'qui les attend dans le détour !

— C'est bon, je te laisse.

— Pis si tu croises ma folle de sœur dans l'escalier, empêche-la de monter jusqu'icitte. Chus d'humeur à l'étriper de mes blanches mains, frette-net-sec !

Comme chaque fois que je saisissais la poignée de porte, tu m'as rivé dans le dos ton dernier clou :

— T'es pas obligé de revenir, considérant que ça te prend tout ton p'tit change. J'vas trépasser d'une heure à l'autre, dans mon sommeil, comme je le demande au Seigneur tous les soirs. Ça fait que t'auras probablement pas droit à un dernier mot de la part de ta sainte mère. Faudra que tu l'inventes, dans le livre que tu vas écrire sur moi. Pis j'te conseille de faire ça comme y faut, mon garçon, sinon !

C'est cette nuit-là que l'eau t'a noyée. Dans ton sommeil, comme tu l'avais demandé. Exigé.

— Quand ça sera à ton tour de lever *le flye,* avale ben ton souffle pis prends ton élan ben comme faut ! Achever, c'est pas une affaire de moumoune, j't'en passe un papier ! Pis oublie pas, c'est le cœur qui meurt en dernier, mon petit gars, le cœur, pas la tête.

C'est par ces mots que j'avais commencé, il y a plus de quarante ans, dans l'île de Crète, que tu n'as jamais vue, à l'ombre d'un mur millénaire, sous un soleil impitoyable, le récit que j'achève aujourd'hui. Mais j'étais encore à l'âge de la représaille, de la contre-attaque bien sentie, de la rancune volcanique. Écœuré par ma hâte à te régler ton compte « frette-net-sec ! », j'avais lancé dans la vague, qui bien sûr n'en avait pas voulu, les pages où tu apparaissais ni telle que tu étais ni telle que tu voulais être ni surtout telle que tu aurais voulu que je te peigne, mais telle que mon ressentiment t'imaginait. Ai-je fait mieux, ici ?

— T'as fait ton gros possible. C'est toujours ben ça.

— Je te demande pardon, Maman.

— Tut, tut, tut ! Tout génie que tu te penses, demande-z-en pas trop ! Pis va te coucher ! T'as l'air…

— … de ce que le chat…

— C'est ça. Éteins, pis va te coucher. Il est tard sans bon sens.

Sainte-Cécile-de-Milton, juin 2013

Crédits et remerciements

Les Éditions du Boréal reconnaissent l'aide financière du gouvernement du Canada par l'entremise du Fonds du livre du Canada (FLC) pour leurs activités d'édition et remercient le Conseil des arts du Canada pour son soutien financier.

Les Éditions du Boréal sont inscrites au Programme d'aide aux entreprises du livre et de l'édition spécialisée de la SODEC et bénéficient du programme de crédit d'impôt pour l'édition de livres du gouvernement du Québec.

Couverture : Linda Plaisted, *Milady*, 2013

Ce livre a été imprimé sur du papier 100 % postconsommation,
traité sans chlore, certifié ÉcoLogo
et fabriqué dans une usine fonctionnant au biogaz.

MISE EN PAGES ET TYPOGRAPHIE :
LES ÉDITIONS DU BORÉAL

CE TROISIÈME TIRAGE A ÉTÉ ACHEVÉ D'IMPRIMER EN NOVEMBRE 2013
SUR LES PRESSES DE MARQUIS IMPRIMEUR
À MONTMAGNY (QUÉBEC).